TRUCS ET CONSEILS

AVOIR CONFIANCE

D1635824

2005

Philippa Davies

Cadeau de fête de Lyne Robert & les filles

MANGO *PRATIQUE*

UN LIVRE DE DORLING KINDERSLEY

Première édition en Grande-Bretagne 2003
par Dorling Kindersley Limited
80, Strand London WC2T ORL

© 2003 Mango Pratique pour la langue française
Dépôt légal : octobre 2003
Traduction : Denyse Saab
Adaptation : Dominique Montembault
Mise en pages : Studio Michel Pluvinage
Imprimé à Hong Kong par Wing King Tong
ISBN : 2 84270 424 X

MANGO PRATIQUE

Sommaire

Développer sa Confiance Intérieure

Manifester sa Confiance

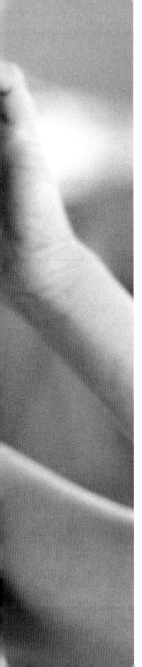

Introduction

La confiance en soi est une ressource infiniment précieuse. Grâce à elle, il est bien plus facile d'acquérir de nouvelles compétences, de se faire des amis, de vivre des relations heureuses, de s'adapter aux changements et de réussir : en un mot, la vie devient incontestablement plus agréable quand on se sent sûr de soi. Avoir confiance en soi est un guide pratique qui se propose de vous aider à maîtriser votre vie et à la transformer de manière positive ; vous y trouverez comment évaluer votre niveau de confiance et repérer les secteurs à consolider, mais vous découvrirez aussi comment vous motiver et définir un programme de développement adapté à vos besoins. Vous apprendrez à manifester votre assurance et surtout à acquérir une confiance durable et profonde qui vous permettra de vous accomplir tout au long de votre vie.

Comprendre la Confiance en Soi

La confiance agit sur notre capacité à savourer les bons côtés de la vie et à affronter les épreuves qu'elle nous réserve. C'est un sentiment tout à fait personnel et pour le développer vous devez comprendre ce qui le provoque en vous.

Définir la Confiance en Soi

Ce sentiment est souvent associé au fait de se sentir heureux, plein d'énergie, joyeux et globalement maître de sa vie. Examinez d'abord ce que la confiance représente à vos yeux, vous saurez ensuite quoi faire pour la renforcer en vous.

QUE VEUT DIRE LA CONFIANCE EN SOI ?

La majorité des gens estiment qu'avoir confiance en soi, c'est croire en ses capacités, être motivé et réaliser, dans la mesure du possible, ses projets, ses attentes et ses désirs. Mais la confiance veut également dire savoir s'accepter, poursuivre des objectifs réalistes et rester positif, même quand certains buts ne sont pas atteints. La confiance en soi n'est pas globale, la plupart des gens se sentent en général plus confiants dans certains domaines que dans d'autres. Ainsi vous pensez être compétent dans un domaine particulier – un sport – tout en vous sentant moins sûr de vous dans d'autres circonstances, sociales par exemple.

▲ **Avoir confiance**
La confiance vous donne le courage de relever des défis et de comprendre que les leçons tirées d'une expérience sont bien plus importantes que la réussite ou l'échec.

AVOIR CONFIANCE EN SOI

Avoir confiance en soi est un atout : quelle que soit la situation à affronter, la confiance permet de considérer les difficultés comme autant de chances pour progresser, de prendre des risques calculés et des décisions rapides. Elle est également essentielle lorsque vous décidez, par exemple, de vous lancer dans la vie publique ou d'adhérer à une association. Enfin elle améliore votre efficacité professionnelle et vous aide dans vos relations.

Il a une attitude positive.

Il possède de bonnes aptitudes sociales.

Il se connaît et s'estime à sa juste valeur.

Il sait profiter de la vie.

Il est décidé.

Il a des objectifs clairs.

Il relève volontiers des défis.

▲ **Reconnaître les signes de la confiance en soi**
Les personnes sûres d'elles ont une attitude ouverte, elles n'hésitent pas à se lancer dans de nouvelles expériences, sont en harmonie avec elles-mêmes et à l'aise en société.

TROUVER SA PROPRE DÉFINITION

Pour définir ce que représente pour vous la confiance, repensez à une situation au cours de laquelle vous vous êtes senti en parfaite confiance et essayez de décrire les sentiments que vous avez alors éprouvés : vous pourriez dire, par exemple, « Je me sentais apprécié », « Je maîtrisais la situation », « Je sentais que mon action était reconnue » ou « Je sentais qu'on m'écoutait et qu'on me prenait au sérieux ». En analysant ce qui a provoqué ce sentiment de bien-être, vous intégrez dans votre vie des expériences éminemment positives et vous confortez votre estime personnelle.

Un auteur novice ressent un regain de confiance à voir son texte imprimé.

Son amie la félicite d'avoir publié son article.

◀ **Reconnaître ses talents**
Essayez d'identifier ce qui vous rend vraiment fier de vous. Vous sentez-vous bien lorsque vous êtes complimenté, lorsque vous résolvez un problème ou encore lorsque vous créez quelque chose ?

Profiter de la Confiance en Soi

La vie est de toute évidence meilleure quand elle est vécue avec confiance. Prenez conscience des avantages qu'apporte ce sentiment et vous constaterez rapidement que vous avez tout intérêt à savoir dans quels cas vous manquez de confiance, pour y remédier au plus tôt.

POINT CLÉ

● Développez votre confiance en vous et vous verrez s'accroître votre aptitude au bonheur et à l'épanouissement personnel.

Les données

Les psychologues ont identifié un concept d'« efficacité personnelle », c'est-à-dire la conviction d'être efficace. Il est prouvé que le niveau d'efficacité personnelle influence la motivation et la manière de mener une tâche à bien et que les personnes dont le niveau d'efficacité personnelle est élevé abordent la vie plus positivement.

ATTIRER LES OPPORTUNITÉS

Si vous êtes confiant, on fera volontiers appel à vous pour résoudre des problèmes épineux, relever de nouveaux défis ou accomplir des tâches qui exigent des qualités de leader. De nombreuses possibilités vous seront aussi offertes dans la vie quotidienne et on vous demandera, par exemple, d'organiser des projets dans votre quartier ou dans votre lycée ; vous serez souvent sollicité, car votre personnalité, votre ouverture aux autres et votre désir de vous engager dégageront un magnétisme puissant. Les personnes confiantes sont ainsi plus souvent invitées que d'autres à des réceptions et autres circonstances sociales.

Elle demande à des voisins de collaborer à un projet concernant le quartier.

◀ **Remporter l'adhésion**
Les personnes confiantes dégagent et attirent l'enthousiasme et c'est inestimable pour convaincre ou remporter l'adhésion d'un groupe.

Ce couple, impressionné par son attitude amicale et assurée, accepte de l'aider.

« Vouloir être ami est un processus rapide mais l'amitié est un fruit qui mûrit lentement »

Aristote

NOUER DES RELATIONS

La confiance en soi aide les gens à nouer des amitiés fortes mais elle les aide également à construire des relations durables, positives et mutuellement bénéfiques ; des relations construites non pas pour combler un vide, mais pour aller vers les autres. La confiance permet aussi de percevoir les frontières entre soi et les autres. Avec une certaine assurance, vous acceptez plus facilement d'être parfois rejeté sans en être profondément atteint. Vous surmontez également les tensions qui surviennent dans une relation, sans aussitôt envisager une rupture : en revanche, si cette dernière survient malgré tout, vous êtes moins enclin à vous sentir menacé par la perspective de la solitude.

◀ **S'adonner à ses passions**
La confiance améliore les relations sociales parce que les amis ou les conjoints se font mutuellement confiance et chacun est ainsi libre de pratiquer un sport ou d'avoir des loisirs qui ne sont pas forcément partagés.

CONTRÔLER LES ÉVÉNEMENTS

Lorsque vous avez confiance en vous, vous êtes sûr de savoir prendre des initiatives, de faire avancer les choses et d'influer sur leur déroulement. Le stress envahit les gens qui pensent avoir peu de contrôle sur les circonstances de leur vie ; ils ont une piètre image d'eux-mêmes et les ravages du stress peuvent alors être profonds. En revanche, lorsque vous pressentez que vous pouvez infléchir le cours des événements, il est quasi certain que vous êtes moins sujet au stress, et même si vous êtes parfois dépassé par les aléas de l'existence, vous savez qu'il vous est possible de les surmonter assez rapidement.

En bref

● Plus vous êtes confiant, plus vous semblez compétent aux yeux des autres et plus vous attirez les sollicitations.

● La confiance en soi permet de nouer des relations enrichissantes et mutuellement bénéfiques.

● Plus votre niveau de confiance est élevé, mieux vous êtes armé pour affronter les épreuves de la vie et plus vous êtes réactif.

AFFRONTER LES CRISES

Lorsque vous êtes sûr de pouvoir résoudre les problèmes et d'être à la hauteur des défis qui se dressent devant vous, vous gérez plus facilement les situations de crise. Vous réagissez aux difficultés en vous disant « Il doit y avoir un moyen de s'en sortir », ou « Qui pourrait m'aider efficacement ? », ou encore « J'ai déjà réussi à surmonter une crise similaire, je tiendrai donc le coup ». La confiance en soi aide aussi à gérer l'échec ; plutôt que se répéter « Je suis nulle », une personne confiante dira plutôt « J'ai échoué cette fois-ci, comment m'y prendre la prochaine fois ? ». L'échec est alors vécu comme une expérience isolée et non comme l'indication d'une incapacité profonde ou permanente.

Elle lui recommande un spécialiste qui pourrait l'aider à résoudre son problème.

POINT CLÉ

● Tirez profit d'une expérience malheureuse pour surmonter des difficultés futures.

Surmonter une crise

Considérez une crise comme un défi qui nécessite une action précise.

⬇

Examinez les faits déclencheurs de la crise – vous devez savoir ce à quoi vous êtes confronté.

⬇

Concentrez-vous sur une résolution positive de la crise et planifiez les étapes nécessaires pour y parvenir.

⬇

Faites appel à une aide extérieure.

▲ **Soutenir les autres en cas de crise**
Votre capacité à surmonter les problèmes vous permet de soutenir les autres. Votre expérience personnelle peut aussi se révéler inestimable quand on vous demande conseil.

Exercices utiles

▶ Rappelez-vous la dernière crise qu'il vous a fallu affronter et repensez à la force que vous avez mobilisée pour renforcer votre confiance.

▶ Si vous avez tendance à vous énerver en cas de crise, reprenez-vous et demandez-vous : « Qu'est-il indispensable que je fasse maintenant ? ».

▶ Réapprenez des gestes d'enfants pour donner libre cours à une colère ou libérer une frustration : tapez du pied, bourrez de coups un coussin pour évacuer la tension.

APPRENDRE
TOUT AU LONG DE SA VIE

Être confiant prédispose à s'ouvrir à toutes les formes d'apprentissage et à toutes les expériences, c'est un gage d'épanouissement et de développement personnels. La confiance n'a rien à voir avec la vanité ou le sentiment de supériorité, bien au contraire, elle permet d'admettre qu'on ne peut pas tout savoir, mais qu'on peut beaucoup apprendre. Les gens qui sont sûrs d'eux ont moins de problèmes lorsqu'ils se trouvent confrontés à des bouleversements importants dans leur vie ; pour eux, tout changement est synonyme d'apprentissage et d'investissement. Être confiant permet de mieux apprendre parce que vous êtes plus attentif et ouvert à votre environnement, et que vous n'êtes pas constamment sur vos gardes pour masquer une quelconque insécurité.

▲ **Devenir parents**
La confiance permet de s'adapter à de nouveaux rôles, comme celui de parent ; les personnes confiantes savent qu'elles possèdent les ressources nécessaires pour affronter des changements majeurs.

Étude de cas

NOM : Sandy
PROBLÈME : elle ne se sent pas épanouie dans sa vie.
OBJECTIF : acquérir de nouvelles compétences, prendre confiance en elle.

Sandy, une maman divorcée, élève seule son petit garçon avec l'aide de sa famille. Maintenant qu'il a six ans et va à l'école, elle aimerait donner un nouveau départ à sa vie. Elle apprend qu'à l'école de son fils on a besoin de parents pour développer des classes de soutien à l'apprentissage de la lecture et se porte volontaire. Très nerveuse les premiers temps, Sandy est heureuse de l'aide qu'elle apporte aux enfants et de l'efficacité dont elle fait preuve. Encouragée par un instituteur, Sandy se met à la recherche d'une formation et prend des cours. Cela lui donne le courage de postuler à un emploi à mi-temps : elle obtient bientôt un poste. Elle rencontre ensuite dans son établissement une personne avec laquelle elle noue rapidement une relation stable. Maintenant que son fils a dix ans, elle a un bon poste dans une école du quartier et est très satisfaite d'avoir su prendre un tournant décisif dans sa vie.

Vivre sans Confiance en Soi

Manquer de confiance présente de nombreux inconvénients, ainsi – et ce n'est pas le moindre – vous ne profitez pas pleinement des possibilités que vous offre la vie. Vous verrez ici comment ce manque d'assurance peut mener à des occasions manquées, à des relations gâchées mais aussi à une plus grande vulnérabilité au stress.

NE PRENDRE AUCUN RISQUE

À défaut de savoir gérer les problèmes avec assurance, on en vient à ne prendre aucun risque et à éviter tout défi – cela va du discours à prononcer au cours du mariage d'un ami au courage de demander une augmentation de salaire ou d'entreprendre une formation. Autour de vous, les gens vous jugent timide et craintif et ils évitent de vous offrir une quelconque chance : pourquoi auraient-ils confiance dans vos capacités alors que vous en doutez vous-même ? Ils en viennent à adopter une attitude plus protectrice à votre égard. Le danger est que vous risquez de vous habituer à ce comportement et de vous adresser à eux de manière un peu immature ; il leur sera ensuite très difficile de vous considérer comme un adulte responsable.

POINT CLÉ

● Soyez positif et audacieux : plutôt que demander « Pourquoi ? », prenez l'habitude de dire « Pourquoi pas ».

Se dire

Répétez les messages positifs suivants pour vous aider à mieux croire en vous.

《 Je suis bien plus solide qu'on ne le pense. 》

《 Je suis tout à fait capable de gérer cette situation. 》

《 Ce n'est pas ce qui m'arrive mais la manière dont je le gère qui détermine mon bien-être émotionnel. 》

▼ **Contrôler les événements**

Les gens peu sûrs d'eux ont tendance à être passifs, ils laissent les autres agir à leur place. Il faut savoir accepter les responsabilités et prendre des initiatives si l'on veut développer la confiance en soi.

Un ami lui offre de se charger de l'organisation d'une soirée.

Elle décline fermement cette offre.

COMPROMETTRE SES RELATIONS

Un manque de confiance peut gâcher les relations avec les autres, les gens peu confiants sont parfois envieux, ils en veulent à ceux qui – amis, collègues, famille, conjoint – font preuve de plus d'assurance qu'eux. Il ne sert à rien de se comparer à eux sinon à être déçu, en revanche pourquoi ne pas, à leur contact, apprendre à devenir confiant ? Que font-ils pour communiquer leur assurance ? Pouvez-vous vous comporter de la même manière ?

Elle montre des photos de son tout dernier saut en parachute.

Elle admet avoir peur de l'altitude et admire le courage de son amie.

Être bien avec ses amis ▶
Vous et vos amis avez un passé et des talents uniques : appréciez-les à leur juste valeur au lieu de vous dévaloriser.

POINTS CLÉS

● Acceptez que votre confiance soit parfois ébranlée sans que cela porte atteinte à votre estime personnelle.

● Évitez de vous dénigrer, tout le monde peut quelquefois manquer d'assurance.

CÉDER AU STRESS

Une piètre estime de soi et de fréquents accès de timidité amoindrissent la résistance du système immunitaire et augmentent en conséquence la vulnérabilité – tant physique que psychologique – au stress. Ainsi, par exemple, vous vous angoissez à l'idée d'un changement quelconque parce que vous n'avez pas la force d'y faire face. Vous en arrivez alors à adopter une attitude d'échec – comme cet étudiant persuadé d'échouer à ses examens et qui les rate pour pouvoir se dire qu'il avait eu raison au moins sur ce plan-là !

À faire

✓ Souvenez-vous que vous êtes un être humain faillible, même ceux qui sont très sûrs d'eux font des erreurs.

✓ Pensez à tout ce que vous avez réussi à faire, plutôt qu'à tout ce que vous auriez dû réaliser.

✓ Apprenez à apprécier vos points positifs.

À ne pas faire

✗ Évitez de blâmer les autres pour votre manque d'assurance : vous êtes responsable de vous-même.

✗ Arrêtez de vous considérer comme une victime, changez plutôt d'attitude.

✗ Évitez de vous focaliser sur vos points négatifs.

Comprendre Comment s'acquiert la Confiance en Soi

Même s'il est possible que la confiance soit influencée par les gènes, il n'y a pas encore de preuves de cette théorie. Votre niveau de confiance est affecté par votre bien-être, vos expériences, ainsi que la façon dont vous vous voyez et dont vous croyez que les autres vous voient.

POINT CLÉ

● La confiance peut être entretenue par les autres, mais elle faiblit si vous ne l'entretenez pas vous-même.

Les données

Les recherches montrent que les aînés d'une fratrie, les enfants uniques et ceux qui n'ont qu'un seul frère ou sœur réussissent mieux dans la vie et possèdent donc un potentiel de confiance élevé : cela provient sans doute du fait que ces enfants reçoivent plus d'attention de la part de leurs parents et que leur confiance en eux s'en trouve renforcée.

APPRENDRE À TRAVERS UN PROCHE

Au cours de notre enfance, une grande partie de ce que nous apprenons, notre perception du monde, la place que nous y occupons proviennent de nos parents ou de personnes qui nous sont proches. Certains ont eu la chance d'avoir des parents qui les ont aidés à développer leur confiance ; d'autres, en revanche, n'ont reçu aucune aide significative, leurs parents étant bien trop préoccupés à se débattre dans leurs propres difficultés. Cependant, les enfants de milieux défavorisés peuvent très bien réussir dans la vie si un adulte de leur entourage proche les aide à construire leur confiance en eux : une tante, un professeur, des grands-parents ou encore un ami dévoué.

Un papa encourage sa fille à se brosser correctement les dents.

Construire l'estime de soi ▶

Les enfants imitent en général leurs parents, il est donc fort probable qu'ils sauront se prendre en charge et être indépendants et autonomes si leurs parents leur en ont donné l'exemple.

Exercices utiles

▶ Réfléchissez à un événement récent qui a stimulé votre assurance, rappelez-vous le sentiment que vous avez éprouvé alors et gardez-le en mémoire pour l'avenir.

▶ Lorsque vous êtes confronté à des difficultés, souvenez-vous que vous avez déjà surmonté des situations similaires.

▶ Prenez le temps à la fin de chaque journée de remettre les événements à plat et n'hésitez pas à vous congratuler si vous estimez les avoir bien gérés.

APPRENDRE PAR L'EXPÉRIENCE

La confiance s'acquiert au fil des différents défis et expériences de la vie – en particulier ceux que l'on a menés avec succès. Pour apprendre à tirer profit de l'expérience, vous devez vous trouver ou vous mettre dans des situations difficiles à gérer et qui risquent de vous faire perdre la face ; il est important de savoir dire « Je ne sais pas » et d'admettre son incapacité. Mais si vous prenez ce que vous estimez être la bonne décision, et qu'en retour les autres confirment la justesse de votre jugement, votre confiance s'en trouve alors considérablement accrue. Il est certain que plus vous multiplierez ce genre d'exercice, plus votre confiance s'en trouvera renforcée.

« L'expérience est la meilleure école. »

Proverbe

APPRENDRE PAR L'ÉCHEC

Elle décide de retravailler sa technique d'interview en vue d'une prochaine fois.

L'échec – aussi douloureux qu'il puisse être – contribue aussi à ce qu'on construise une confiance en soi à toute épreuve : en examinant les raisons d'un échec et en réfléchissant à une manière différente de procéder pour l'avenir, vous intégrez tous les revers dans le processus d'apprentissage. Personne ne peut apprécier réellement la réussite si sa vie n'est « qu'un long fleuve tranquille » : on est inévitablement confronté, un jour ou l'autre, à l'échec, et ce qui importe alors est la manière de le gérer. Si, dans votre enfance, quelqu'un vous a injustement blâmé et mis en situation d'échec, vous avez peut-être développé une sensibilité toute particulière à cet égard et vous évitez systématiquement tout ce qui pourrait mettre en péril votre confiance. Il ne faut pas prendre ses échecs trop à cœur mais y voir plutôt une occasion de progresser et d'aller de l'avant.

Gérer le rejet ▶
Développez une attitude zen devant le rejet : une candidature rejetée peut être considérée comme un échec, mais elle est aussi une occasion de développer sa confiance sur la base des erreurs passées.

Analyser Comment se Perd la Confiance en Soi

Comprendre ce qui a pu anéantir votre assurance dans le passé peut vous rendre moins vulnérable. Analysez les raisons qui se cachent derrière ce sentiment d'insécurité, dépassez vos réactions émotives et adoptez une attitude beaucoup plus raisonnée.

Elle demande le soutien de son compagnon.

MANQUER D'ENCOURAGEMENTS

Les parents, les professeurs, les collègues ainsi que les membres de la famille sont tous bien trop préoccupés par leur propre vie pour avoir le temps et l'énergie d'encourager les autres. Pendant l'enfance, la propension naturelle au bien-être peut être singulièrement diminuée par un manque d'attention. À l'âge adulte, si nous nous sentons ignorés, rejetés ou simplement peu considérés – en particulier par quelqu'un qui nous est cher, que nous aimons ou respectons – les dégâts au niveau de l'estime de soi sont considérables, surtout si la situation dure longtemps.

▲ **Préserver l'estime de soi**
Si l'un de vos proches ne vous soutient pas et que vous en perdez toute assurance, n'hésitez pas à exprimer ce que vous ressentez : expliquez-lui que ses encouragements sont très importants pour vous et que vous en avez besoin.

POINTS CLÉs

● Lorsque vous traversez une épreuve difficile, dites-vous pour vous réconforter que la situation finira bien par s'améliorer.

● Acceptez le fait que la malchance occasionnelle fait tout simplement partie de la vie et qu'elle ne doit pas vous atteindre.

SUBIR LA MALCHANCE

Les épisodes malchanceux sont le lot commun, il faut les oublier au plus vite. Mais il est évident qu'une malchance persistante peut miner la confiance en soi. Être à la fois malade et confronté à des changements de vie importants peut faire douter quelqu'un de sa capacité à assumer la situation. Ainsi, un parent épuisé par des nuits d'insomnie et qui doit de surcroît affronter des conditions éprouvantes à son travail verra son assurance diminuer sérieusement. Dans ce cas, s'appuyer sur des valeurs et des convictions stables aide à tenir le coup.

En bref

- Même si vous avez connu des moments de malchance, vous pouvez toujours reprendre confiance.

- Des croyances religieuses, spirituelles ou philosophiques sont très utiles en temps de crise.

- Toutes les critiques sont des renseignements précieux et contribuent à votre développement personnel ou professionnel.

CHOISIR LES MAUVAIS OBJECTIFS

La poursuite d'objectifs contraires à ses valeurs peut être source de perte de confiance. Ainsi, travailler essentiellement pour gagner de l'argent peut être démoralisant, si votre dessein est d'être utile aux autres ou d'utiliser vos capacités autrement. Le respect de soi est fondamental pour être confiant, vous ne serez en accord avec vous-même que si vous êtes fidèle à vos valeurs. Pour en avoir une vision claire, recherchez d'abord ce qui est essentiel à vos yeux : par exemple, est-ce que fonder une famille heureuse est plus important que réussir votre carrière professionnelle ?

SUPPORTER LA CRITIQUE

La critique peut ébranler la confiance lorsque vous l'estimez injustifiée ou hors de propos. Être confronté à des attaques ou à des critiques, surtout dans des situations où il est difficile de se défendre, peut être particulièrement humiliant. Gardez à l'esprit que, même si vous n'aimez pas être critiqué ou si vous n'êtes pas d'accord avec ce qui est dit, vous pouvez tirer profit des opinions et des points de vue des autres.

Il écoute son directeur lui exposer les motifs de sa critique.

Gérer l'aspect positif des critiques ▶
Demandez des explications concernant les critiques et évitez de réagir avant d'avoir évalué leur bien-fondé.

À faire

✓ Recherchez la compagnie de personnes qui vous encouragent et passez plus de temps avec elles.
✓ Sélectionnez les objectifs que vous souhaitez atteindre et assurez-vous qu'ils sont fidèles à vos valeurs.
✓ Si les critiques formulées ne sont pas très claires, n'hésitez pas à demander des éclaircissements.

À ne pas faire

✗ Évitez de fréquenter des gens qui vous découragent dans vos actions.
✗ Évitez de vous fixer des buts trop ambitieux et ne recherchez pas la perfection dans tout ce que vous faites.
✗ Évitez de réagir avec émotivité à la critique, surtout lorsque l'on juge votre caractère.

Le Manque de Confiance vous Empêche-t-il d'Agir ?

Pour évaluer s'il vous serait bénéfique ou non de développer votre potentiel confiance, répondez aux déclarations ci-dessous. Cochez les réponses qui se rapprochent le plus de votre expérience, si vous répondez « Jamais » cochez l'option 1, « Parfois » cochez l'option 2, « Souvent » cochez l'option 3 et « Toujours » cochez l'option 4. Faites le total de vos points et reportez-vous à l'analyse ci-dessous pour connaître la conduite à adopter.

Options

1 Jamais
2 Parfois
3 Souvent
4 Toujours

Comment réagissez-vous ?

Affirmation	1	2	3	4
1 J'ai une piètre opinion de moi-même.			☒	
2 En général je me sens fatigué et sans énergie.				☒
3 Je redoute de commencer ma journée de travail.		☒		
4 Généralement ma concentration est faible.				☒
5 Il m'est difficile de dire « Non » aux autres.				☒
6 J'exprime difficilement mes opinions.	☒			
7 J'aimerais que la vie soit différente.		☒		
8 J'ai tendance à éviter les gens que je trouve difficiles.		☒		
9 J'évite les situations difficiles.		☒		
10 Je remets les décisions à plus tard.	☒			
11 Si je n'arrive pas à me décider, je m'en remets au destin.		☒		
12 Je me sens nerveux sans raison apparente.				☒
13 Mon apparence me met mal à l'aise.		☒		
14 J'étais un enfant solitaire.			☒	
15 J'étais un enfant rudoyé.				☒
16 Mes professeurs n'étaient pas gentils avec moi.		☒		
17 Ma famille trouvait toujours à redire.			☒	
18 Il m'est difficile de parler à des étrangers.	☒			

	1	2	3	4
19 J'ai l'impression de passer à côté de la vie.	☐	☐	☐	☐
20 Mes relations sont tendues.	☐	☐	☐	☐
21 Je tiens compte des sentiments des autres avant les miens.	☐	☐	☐	☐
22 Je redoute de prendre la parole en public.	☐	☐	☐	☐
23 Je me dérobe devant les responsabilités.	☐	☐	☐	☐
24 Je suis inquiet pour l'avenir.	☐	☐	☐	☐
25 Je me braque sur mes échecs et sur mes succès non.	☐	☐	☐	☐

	1	2	3	4
26 Je suis négatif à propos des gens qui m'entourent.	☐	☐	☐	☐
27 Je suis soucieux de ce que les gens pensent de moi.	☐	☐	☐	☐
28 Je peux être agressif et désagréable.	☐	☐	☐	☐
29 Je me sens inférieur aux autres.	☐	☐	☐	☐
30 J'aimerais que la vie soit plus agréable.	☐	☐	☐	☐
31 Je me sens très fautif quand je fais une erreur.	☐	☐	☐	☐
32 Je réagis mal aux critiques.	☐	☐	☐	☐

Analyse

Après avoir fait le total de vos points, consultez l'analyse ci-dessous pour définir si c'est bien un manque d'assurance qui vous fait défaut. Notez vos points les plus faibles et les plus forts, cela vous aidera dans votre démarche de développement.

32 à 64 Vous êtes confiant dans la plupart des situations. Cependant vous avez encore besoin de développer votre assurance dans certains domaines.

65 à 95 Votre estime personnelle est relativement bonne mais vous devez travailler certaines situations dans lesquelles vous manquez d'assurance.

96 à 128 Vous avez peu d'estime envers vous-même et vous devez en conséquence améliorer votre assurance pour réaliser le potentiel qui est en vous.

Mes points les plus faibles sont :

_____

_____

_____

_____

Mes points les plus forts sont :

_____

_____

_____

_____

Préparer et Développer la Confiance en Soi

Pour réussir à développer la confiance en soi, il faut adopter une démarche structurée. Mobilisez vos ressources, fixez des objectifs précis, recherchez de l'aide et surtout oubliez le passé pour pouvoir rebondir sur de nouvelles bases.

Se Motiver

Développer la confiance en soi requiert une solide motivation : engagez-vous formellement à changer et à surmonter les peurs qui vous ont freiné par le passé, pensez à ce que la réussite évoque pour vous et enfin affichez une attitude positive, vous en aurez besoin pour relever tous les défis à venir.

POINT CLÉ

● Imaginez une situation dans laquelle une confiance renforcée changerait totalement la manière dont vous vous percevez.

En bref

● La confiance ne peut s'acquérir du jour au lendemain, il faut du temps et un certain engagement.
● Il est essentiel dans la vie d'être responsable de ses choix plutôt que d'imputer ses échecs aux autres.
● Surmonter vos craintes devient plus facile une fois que vous avez clairement identifié ce qui vous fait peur.

S'ENGAGER

On a souvent tendance, quand tout va bien, à s'attribuer tout le mérite de ses succès ; en revanche, quand tout va plutôt mal, on attribue ses échecs aux autres ou, pire encore, on incrimine des circonstances indépendantes de sa volonté. Il est facile de blâmer les autres ou les circonstances de votre manque de confiance, mais c'est vous et vous seul qui devrez entreprendre la démarche nécessaire pour développer votre assurance. Commencez dès à présent ce processus – si vous attendez le « bon » moment, vous ne vous y mettrez jamais. Reporter les choses montre simplement que vous cherchez à éluder le problème.

SURMONTER SA PEUR

La peur de l'échec conduit souvent les gens à éviter les situations où ils risquent de se sentir humiliés ou de perdre la face devant les autres. C'est pourtant à travers les échecs que l'on apprend le plus, et ceux qui ont le mieux réussi ont connu de nombreux échecs. Évitez de vous dénigrer constamment et arrêtez d'imaginer que les gens se soucient réellement de vos prouesses. La première étape pour surmonter sa peur est tout simplement de l'admettre : ceux qui ont peur sont constamment sur la défensive, ils refusent d'admettre qu'ils ont peur ou d'accepter qu'ils aient un problème. Reconnaissez vos appréhensions, essayez de les surmonter, et vous élargirez votre horizon, vous accroîtrez vos choix et la vie deviendra bien plus facile à mesure que votre assurance s'affirmera.

Exercices utiles

▶ Si vous n'aimez pas prendre la parole en public, exercez-vous à discuter avec les gens en attendant le bus ou prenez spontanément la parole au cours d'une réunion informelle.
▶ Reconnaissez vos appréhensions et prenez-les à la légère devant les autres en disant par exemple : « Je suis trop stressé pour faire cela – mais puisque personne ne veut le faire… ! »

Elle a peur car elle ne connaît pas grand monde parmi les invités.

Elle accepte l'invitation et décide de passer une bonne soirée.

Une amie l'appelle pour l'inviter à une réception.

Elle répond qu'elle est occupée et qu'elle ne pourra pas venir.

Elle fait semblant de consulter son agenda pour se donner le temps de réfléchir.

▲ Gérer sa peur

Ce scénario illustre deux manières différentes de répondre à une invitation intimidante : la première est de réagir avec peur et de décliner l'invitation et la seconde est de prendre le temps de reconnaître sa peur, de refuser de s'y soumettre et de saisir l'occasion de la surmonter.

Elle se retrouve à passer un week-end toute seule et rate l'occasion de surmonter ses peurs

Reconnaître comment la peur peut influencer ses agissements

Type de peur	Conséquence
Conflit	Attitude passive, incapable de s'affirmer, hésitant à donner son avis ou craignant d'être rejeté.
Paraître incompétent	Attitude défensive, évite les questions embarrassantes, insiste sur des points de détail, incapable de répondre « Je ne sais pas ».
Être considéré comme insignifiant	Attitude agressive, peut tenir des avis excessifs pour attirer l'attention, montre peu de considération aux autres.
Perdre le contrôle	Attitude agressive, tendance à contrôler les situations, déteste l'imprévu, ignore l'opinion des autres.

POINT CLÉ

● Gardez à l'esprit une image de ce que vous pourriez être si vous étiez confiant, et faites le nécessaire pour y parvenir.

IMAGINER LE SUCCÈS

Affronter ses peurs et développer son assurance est très stimulant : en effet, plutôt que de regarder derrière soi et regretter d'avoir manqué de confiance dans certaines circonstances, projetez-vous dans l'avenir et pensez à tout ce que vous parviendrez à réaliser grâce à la confiance. Enfin, au lieu de vous polariser sur les difficultés à venir, concentrez-vous sur votre potentiel. Repensez à des situations au cours desquelles vous avez manqué d'assurance et imaginez comment vous auriez réussi à les gérer efficacement. Imaginez-vous comme vous aimeriez être vraiment – souriant, décontracté, efficace au travail, par exemple : imprimez cette image en vous de manière claire et vive.

Le directeur est impressionné par l'approche directe et calme de l'employée.

L'employée reconnaît les problèmes budgétaires du directeur mais donne de bonnes raisons pour justifier une augmentation de salaire.

◀ **Garder le sens de la mesure**
Lorsque vous craignez quelque chose, comme par exemple de demander une augmentation de salaire, examinez le problème du point de vue de l'interlocuteur. Imaginer ce que l'autre espère tirer d'une situation aide à réfléchir et à agir en parfaite empathie.

COMPRENDRE LES TYPES D'HUMEUR

Il existe quatre types d'humeur distincts – actif et calme, actif et tendu, fatigué et calme, fatigué et tendu. Le moment idéal pour entreprendre des activités destinées à développer votre confiance est celui pendant lequel vous vous sentez d'humeur active et calme. Pour beaucoup d'entre nous, c'est en milieu de matinée que se situe le moment idéal, alors que le milieu de l'après-midi entraîne plutôt une baisse de régime.

Notez vos humeurs
Tenez le « journal » de vos humeurs pendant plusieurs jours, vous parviendrez ainsi à identifier le moment de la journée où vous vous sentez le plus en forme.

CRÉER LA BONNE HUMEUR

Il est plus facile de se motiver lorsqu'on est de bonne humeur. Les sautes d'humeur sont influencées par des associations d'idées, on peut donc retrouver le moral en pensant simplement à quelque chose de plaisant et de réconfortant. Pensez à ce que vous aimez beaucoup faire et qui vous détend, comme par exemple jardiner, cuisiner, jouer avec ses enfants ou décorer sa maison. Asseyez-vous quelques minutes et imaginez que vous êtes occupé à l'une de ces activités, vous verrez que cet exercice tout simple vous remettra en train et vous aidera à prendre du recul ; c'est aussi une excellente préparation mentale lorsque vous devez affronter des circonstances particulières, comme prononcer une allocution ou s'entretenir d'un problème difficile avec quelqu'un.

▲ **Se redonner le moral en faisant de l'exercice**
Le sport met de bonne humeur car il libère des endorphines, hormones du bien-être.

À faire

✓ Faites de l'exercice régulièrement pour vous sentir d'humeur positive.

✓ Pratiquez un exercice tonique – aérobic, natation ou marche soutenue – quand vous êtes fatigué et tendu.

✓ Choisissez plutôt le yoga ou une technique de relaxation si vous vous sentez nerveux.

À ne pas faire

✗ Évitez les excitants rapides comme le café, l'alcool, la cigarette et le sucre.

✗ Évitez de vous acharner lorsque vous êtes fatigué : faites une pause même si elle ne dure qu'une dizaine de minutes.

✗ Évitez de tout faire à la dernière minute pour ne pas être stressé.

Se Fixer des Objectifs

Pour se fixer des objectifs en matière de confiance en soi, il faut d'abord avoir une idée nette de ce que l'on veut accomplir, et surtout comprendre à quel moment le but sera atteint. Optez pour des objectifs qui reflètent bien vos priorités et soyez assez précis de manière à savoir exactement vers quel but tendre.

POINT CLÉ

● Prenez le temps de planifier votre démarche en matière de confiance et imaginez précisément le progrès que vous souhaitez faire.

Réfléchir à des buts

Pensez à ce que vous voulez accomplir.

⬇

Veillez à ce que votre objectif, quel qu'il soit, reflète bien vos valeurs personnelles.

⬇

Contrôlez vos objectifs afin qu'ils soient stimulants mais réalistes.

⬇

Évaluez l'aide et les ressources dont vous aurez besoin pour atteindre vos objectifs.

⬇

Déterminez comment mesurer les progrès et définir le succès.

POURQUOI SE FIXER DES OBJECTIFS ?

Les objectifs sont motivants parce qu'ils vont vous permettre d'atteindre quelque chose d'important pour vous. Ainsi, par exemple, si vous vous fixez comme objectif de pouvoir vous exprimer en public, cela veut dire également que votre sujet vous passionne et que vous souhaitez le faire connaître. Si vous aspirez à pouvoir bavarder naturellement et sans timidité en société, cela veut dire aussi qu'il est important pour vous de surmonter votre timidité et de nouer des relations amicales. Fixez-vous des objectifs qui soient raisonnablement difficiles : s'ils sont trop longs à atteindre, vous risquez d'être déçus, mais s'ils sont trop faciles à réaliser, vous risquez de vous démotiver. Pensez enfin à la manière de mesurer vos progrès et de définir le succès de votre projet : si votre objectif est de vous entretenir naturelleme~~nt~~ et sans timidité avec d'autres invités pendant une réception, à quel moment estimerez-vous avoir atteint votre but, et après une première tentative réussie ou en faudra-t-il plusieurs ?

« Rien de grand n'a jamais été accompli sans enthousiasme. **»**

Franklin D. Roosev~~elt~~

CHOISIR LES BONS OBJECTIFS

Si vous voulez les atteindre, vos objectifs doivent étayer et refléter vos valeurs : comment voulez-vous être motivé par un objectif qui reflète les priorités d'une autre personne et auquel vous n'adhérez pas ? Évitez également de fixer trop d'objectifs qui touchent à différents domaines de votre vie, vous risquez de vous disperser inutilement. L'idéal serait de commencer par trois objectifs précis, par exemple un objectif personnel, un autre professionnel et enfin un dernier concernant votre forme et votre santé ; vous pourriez aussi choisir trois buts dans un même registre que vous souhaitez améliorer, comme par exemple votre vie sociale, votre carrière ou encore vos relations amoureuses.

Garder la forme se reflète sur la santé.

Être honnête avec soi-même ▶
N'établissez un programme de remise en forme et d'exercices que si cet objectif est important à vos yeux.

PRÉCISER LES OBJECTIFS

Les objectifs doivent être précis, vous devez exactement savoir ce que vous recherchez. La phrase « Je veux me sentir plus assuré devant des personnes inconnues » doit être clarifiée pour devenir « Je veux engager, avec assurance, la conversation au cours d'une réception ». Puis vous en arriverez peut-être à « Je veux m'affirmer un peu plus au bureau » ou encore « Je veux prendre la parole, sans stresser, aux réunions de mon club de lecture ».

Évaluer ses priorités

Pour vous aider à évaluer ce qui est vraiment important pour vous dans la vie, lisez les affirmations ci-dessous et cochez celles avec lesquelles vous êtes d'accord.

- Être créatif et original est important. ☐

- J'aime être efficace et éviter de perdre du temps. ☐

- Je crois qu'il est important de s'intéresser aux autres. ☐

- J'aime agir et initier des actions. ☐

- Je veux animer un groupe et en être le leader. ☐

- Je veux former les autres et les aider à grandir. ☐

- Je suis un idéaliste, je veux aider le monde à changer. ☐

- J'aime prendre des responsabilités et gérer des projets. ☐

- J'aime faire partie d'une équipe et contribuer à un travail de groupe. ☐

- J'ai besoin de trouver une sécurité financière, affective ou professionnelle. ☐

Analyse : Si vous avez coché jusqu'à trois phrases, vous connaissez donc vos priorités et vous devez fixer vos objectifs en conséquence. En revanche, si vous en avez coché plus de trois, vous devez estimer ce qui est vraiment important pour vous et établir une liste d'objectifs spécifiques.

25

Planifier sa Démarche

Après avoir établi vos priorités, il est important que vous mettiez au point les grandes lignes de votre démarche. Prévoyez de progresser par étape en établissant un calendrier et en vérifiant régulièrement la pertinence de vos objectifs.

> **POINT CLÉ**
>
> ● Notez les occasions au cours desquelles vous pourriez mettre de nouvelles compétences à l'essai et fixez des moments pour faire le point sur vos progrès.

Étude de cas

NOM : Françoise
PROBLÈME : nervosité
OBJECTIF : prononcer une allocution au cours d'une conférence

Françoise est chargée, depuis peu, de collecter des fonds pour une œuvre de charité ; elle est invitée prochainement à présenter ses activités au cours d'une conférence. Elle est nerveuse à l'idée de devoir bientôt parler en public, mais, comme elle dispose de quelques semaines pour s'y préparer, elle commence par prendre la parole au cours de petites réunions locales, puis elle s'exprime devant des groupes plus importants. En parallèle elle s'inscrit à un cours de formation à la prise de parole et profite de la moindre occasion pour présider des réunions. Quand arrive le jour de la conférence, Françoise est certes encore un peu nerveuse, mais elle s'en sort parfaitement bien.

TROUVER SON RYTHME

Diviser un objectif général en plusieurs parties vous aidera à mieux progresser. Si votre but est de pouvoir vous sentir à l'aise en société et de faire de nouvelles connaissances, donnez-vous d'abord des mini-buts, comme rencontrer une ou deux personnes à la prochaine soirée. À l'occasion suivante, visez plutôt trois ou quatre nouvelles connaissances et continuez ainsi jusqu'à vous sentir parfaitement capable de bavarder avec tous les invités d'une soirée !

Il recherche une réaction à son exposé.

▲**Gérer un mini-but**
Si votre objectif est de parler en public, commencez par vous exerce, devant un ami ou un membre de votre famille, puis devant un groupe d'amis : ces mini-buts sont autant d'étapes vers la réussite.

▲ Préparer un calendrier
Donnez-vous tout le temps nécessaire pour parvenir à votre objectif. Tenez compte de vos engagements précédents et laissez une marge pour gérer les imprévus.

ORGANISER UN PLANNING

Il vaut mieux surestimer le temps nécessaire pour atteindre ses objectifs, plutôt que d'y consacrer trop peu de temps et être déçu du r~ aussi à laisser une marge de temps c pour faire face aux « rechutes » imp oublis ou aux changements de priori n'oubliez pas non plus de prévoir de particuliers pour consigner par écrit et vos émotions et pour réfléchir à ce aurez appris. Prévoyez également du t des activités annexes, telles la relaxatic méditation, qui contribueront à votre développement personnel.

RECONSIDÉRER SES OBJECTIFS

Il est très important de vérifier régulièrement que vos objectifs sont encore valides : les circonstances changent, vous pourriez estimer que certains objectifs ne sont plus d'actualité. Si, par exemple, vous décidez de déménager, il vous faut travailler votre aisance en société de manière à vous adapter rapidement à votre nouvel environnement et vous y faire des amis.

POINTS CL

● Observez commen poursuivant vos objec surmontez petit à peti réticences.

● Si un de vos objectif s'avérait trop ambitieux à un autre plus facile à atteindre à court terme

CONSIGNER SES OBJECTIFS PAR ÉCRIT

Noter ses objectifs sur un cahier peut aider à les réaliser, car une fois écrits ils paraissent plus concrets. Il est tout aussi efficace de dessiner les résultats escomptés : en effet, même si vous n'êtes pas particulièrement doué, le dessin permet de mobiliser la partie du cerveau liée aux émotions et à l'imagination. Lorsque vous mobilisez ces deux éléments pour accomplir une tâche quelconque, vous avez plus de chances de la réussir. Si vous souhaitez améliorer vos capacités relationnelles, dessinez-vous souriant et à l'aise au milieu d'une foule.

Représenter le succès
Esquisser sur papier une ébauche de l'issue heureuse que vous recherchez vous aidera à y parvenir.

Obtenir de l'Aide

Lors de votre démarche de quête de confiance, il est nécessaire que vous soyez entouré de personnes qui vous encouragent. Recherchez en priorité celles qui peuvent vous aider à atteindre vos objectifs, réfléchissez au genre de réactions dont vous avez besoin et apprenez à gérer les personnes peu disposées à vous soutenir.

POINT CLÉ

● N'hésitez pas à réclamer le soutien de vos amis, ils seront parfaitement disposés à vous le donner et ravis de le faire.

« Ce n'est pas tant l'aide de nos amis qui nous aide, que notre conviction qu'ils nous aideront. »

Épicure

MOBILISER DE L'AIDE

Pensez d'abord à vos relations actuelles : parmi vos amis, votre famille ou vos collègues, qui sont ceux avec qui vous vous sentez bien ? Identifiez les personnes qui vous remontent le moral quand ça ne va pas fort, celles qui vous lancent des défis mais que vous admirez, et enfin celles qui savent vous guider et vous aider à résoudre un problème difficile. Qui d'autre pourrait vous aider ? Vous pourriez faire équipe avec quelqu'un qui partage les mêmes objectifs que vous. N'hésitez pas à parler aux gens que vous aurez sélectionnés, décrivez-leur ce que vous souhaitez atteindre et demandez s'ils pensent que votre objectif est réaliste. « Si vous poursuiviez le même objectif que moi, vous y prendriez-vous différemment ? » est enfin une question que vous pourriez utilement leur poser…

◀ **Élargir son cercle de connaissances**
Organisez votre réseau amical de soutien en fréquentant des gens positifs et optimistes plutôt que des personnes qui cherchent à saper votre énergie et à miner votre moral.

RECHERCHER DES RÉACTIONS

Le soutien d'une présence amie peut se révéler très utile au cours de votre démarche de développement de confiance. Demandez à un ami d'être présent à chaque fois que votre assurance est mise à l'épreuve afin qu'il puisse ensuite donner son avis sur votre performance et vous donner un retour d'information sur les progrès que vous faites. Prenez le temps de discuter de votre prestation avec cet ami, d'analyser les points positifs et d'identifier les domaines à améliorer.

Exercices utiles

▶ Faites une liste des gens pouvant vous aider et à qui vous ferez éventuellement appel.

▶ Divisez vos amis en deux groupes : ceux que vous informerez simplement de votre démarche et ceux qui en feront partie.

▶ Montrez à ces personnes que vous appréciez leur présence.

Ne quittez pas votre hôte des yeux en bavardant avec lui

Elle reste près de son amie pour l'assurer de son aide morale.

◀ **S'assurer du soutien d'un ami**
Demandez à un ami de vous accompagner à l'une de vos activités – comme par exemple une réception. Sa présence vous rassurera et il pourra par la suite vous donner son avis sur votre prestation.

En bref

● Les amis apportent soutien et réconfort pendant la quête de confiance en soi.

● Un ami sincère vous tient lieu de repère stable et vous aide à ne pas retomber dans vos travers.

● Les amis qui réagissent négativement à votre quête ont probablement une idée derrière la tête, il vaut mieux les éviter.

GÉRER L'HOSTILITÉ

On s'attend souvent à ce que les gens – et en particulier les proches – soient heureux de la démarche de développement de confiance que l'on accomplit, et pourtant ce n'est pas toujours le cas. Certains amis ou parents peuvent se sentir déstabilisés par votre décision, d'autres préfèrent même vous maintenir sous leur emprise. Si quelqu'un réagit négativement ou n'encourage pas votre démarche, restez optimiste et ne le laissez pas vous saper le moral ; de même si quelqu'un essaye de dénigrer ce que vous faites, il vaut mieux l'ignorer et l'éviter à l'avenir.

Tirer Parti d'une Confiance Préexistante

Nos performances passées reflètent nos priorités : reconnaissez vos succès pour en tirer profit, acceptez que vos faiblesses puissent être des forces et créez une « banque de confiance », dans laquelle vous puiserez chaque fois que vous aurez besoin d'encouragements.

▲ Fêter ses succès
La plupart des gens font peu de cas de ce qu'ils accomplissent au quotidien tant cela leur semble normal. Ainsi, bien peu de parents s'attribuent le mérite d'avoir créé un foyer stable et heureux alors que c'est une réussite qui doit être reconnue et fêtée comme telle !

APPRÉCIER SES RÉALISATIONS

La plupart des gens estiment à leur juste valeur les réalisations qu'ils ont accomplies dans leur vie, qu'elles soient matérielles, professionnelles ou personnelles, mais ils négligent souvent la satisfaction que l'on peut aussi retirer lorsqu'on gère un problème ou un changement, qu'on s'occupe d'un parent malade ou qu'on fait face au chômage avec courage. Réfléchissez à un événement qui vous a rendu fier de vous-même et qui a changé votre vision de l'existence : cet événement est un moment fondateur de votre vie, il est chargé de valeur. Ainsi votre vie a-t-elle peut-être changé après la naissance de vos enfants ou la création d'une entreprise, elle reflète alors les valeurs de la maternité (de la paternité) ou de la ténacité.

Exercices utiles

▶ Faites une liste des événements majeurs intervenus à ce jour dans votre vie et des changements qui en ont découlé. Pour comprendre et connaître vos points forts, analysez de quelle manière vous y avez fait face.

▶ Discutez avec un ami de tous les projets, professionnels ou non, que vous avez entrepris au cours des cinq dernières années afin qu'il relève des éléments positifs là où vous ne les aviez pas vus.

▶ Comparez-vous avec votre entourage et vous verrez que vous soutenez très bien la comparaison.

Se dire

Reconnaissez les aspects potentiellement positifs de vos défauts, ils peuvent vous être utiles. Inspirez-vous des affirmations ci-dessous.

« Je suis peut-être timide mais cela me permet d'être à l'écoute des gens et d'observer objectivement les événements. »

« Je suis peut-être autoritaire mais cela m'aide à être un bon organisateur et un leader efficace. »

« Je parle parfois sans réfléchir, mais j'exprime toujours des opinions sincères. »

VOIR DES QUALITÉS DANS SES POINTS FAIBLES

On a généralement tendance à plus reconnaître ses défauts que ses qualités et à vivre des années durant avec ses points faibles sans jamais les mettre en doute : ainsi, par exemple, vous estimez une fois pour toutes que vous êtes timide et réservé. Cependant, une qualité qui est jugée comme une faiblesse dans un contexte peut se révéler être un atout dans un autre ; l'impatience devient alors dynamisme, la paresse un comportement posé, l'entêtement une force de caractère et la timidité une forme de sensibilité – un atout majeur pour communiquer ou être créatif. Faites une liste de ce que vous estimez être des défauts et demandez-vous dans quel contexte vous pourriez les considérer comme des qualités.

CONSTITUER UN FICHIER CONFIANCE

Rappelez-vous de votre réalisation la plus importante et consignez dans un carnet les réponses aux questions suivantes :

- Quel cheminement de pensée, quels sentiments et quelles actions vous ont-ils conduit à ce succès ?
- Qu'avez-vous fait de tellement efficace ?
- Qu'avez-vous pensé et senti par la suite et comment avez-vous agi ?
- Qu'avez-vous appris sur vous-même et quelles qualités se sont-elles révélées ?

Vous pourriez aussi inclure d'autres succès à votre fichier et rechercher les éléments tangibles qui se rapportent à ces moments, comme des cartes de félicitations, des lettres de promotion, des photos d'événements marquants : rangez tout cela ensemble, de manière à constituer ce qui sera votre « fichier confiance », dans lequel vous puiserez chaque fois que vous ressentirez le besoin de recharger vos accus.

Elle retrouve une lettre de félicitations envoyée par son ancien employeur.

▲ **Utiliser un « fichier confiance »**
Quand vous êtes nerveux, par exemple si vous passez un entretien d'embauche, consultez votre fichier confiance, vous y retrouverez les situations similaires que vous avez affrontées avec succès dans le passé.

Aller de l'Avant de Manière Constructive

Des situations difficiles et des souvenirs malheureux doivent être mis à plat si vous voulez aller de l'avant, tout en confiance. Analysez le passé et passez à autre chose, laissez tomber les jugements hors de propos, faites le point sur l'image que vous donnez de vous-même et apprenez à vous accepter.

POINT CLÉ

● Soyez indulgent avec vous-même, mais évitez de vous apitoyer sur votre sort.

Bilan des mauvaises expériences

Évaluez la part des circonstances externes dans ce qui est arrivé.

Essayez de vous rappeler exactement ce que vous pensiez à ce moment-là.

Essayez de vous rappeler comment vous avez réagi à ce moment-là.

Examinez les conséquences de votre manière de penser et de réagir.

Évaluez comment vous penseriez ou réagiriez différemment à l'avenir.

ANALYSER LE PASSÉ

Repensez à une situation difficile au cours de laquelle vous auriez préféré vous sentir plus assuré : essayez d'identifier les raisons de ce manque de confiance et d'expliquer jusqu'à quel point votre attitude ou vos pensées ont contribué à créer des problèmes. Avez-vous, par exemple, tardé à réagir ou au contraire agi impulsivement ? Examinez la place de cette expérience dans votre vie passée et future : y accordez-vous plus d'importance qu'elle en a réellement ? En analysant ainsi une situation, vous parviendrez à trouver les aspects positifs d'une expérience négative. Tirez la leçon qui s'impose et passez à autre chose.

Changer ▶
Revoir et examiner les événements passés est une manière constructive d'apprendre : reconnaissez que vous avez commis une erreur, et pensez plutôt au moyen d'éviter de la refaire dans le futur.

Il fait les recherches qui lui permettront de se sentir en confiance au moment de présenter son travail.

En bref

- Il est possible de tirer les leçons des expériences les plus malheureuses et d'aller de l'avant.

- Il faut se débarrasser des étiquettes inutiles que l'on s'attribue et des images de soi négatives que l'on accumule en grandissant, surtout si elles sont hors de propos.

- Les gens intègrent les idées – souvent fausses – que l'on se fait d'eux ou du monde, sans jamais les remettre en question.

RECADRER SES SOUVENIRS

Pour atténuer des souvenirs douloureux, procédez comme le ferait un metteur en scène qui reprend une scène et la filme sous un angle différent ou à travers les yeux d'un autre personnage. Faites de même pour prendre une certaine distance par rapport à un échec qui vous hante encore : choisissez un souvenir que vous aimeriez oublier et repassez la scène dans votre tête en y ajoutant des sentiments et un résultat totalement différents.

▼ Oublier un mauvais souvenir

Pour se débarrasser d'un souvenir cuisant, repassez la scène dans votre tête : pour vous aider à vous en éloigner mentalement, imaginez que vous faites un zoom arrière de la scène, qui finit par disparaître complètement à l'horizon.

| Repassez le souvenir dans votre esprit | → | Imaginez que le souvenir s'éloigne de plus en plus de vous | → | Voyez le souvenir disparaître au loin |

RÉVISER SES CROYANCES

Vos croyances peuvent avoir des incidences sur vos espoirs et vos succès. Si elles sont souvent influencées par la religion, la culture ou la classe sociale, certaines croyances n'ont aucun fondement logique. On traîne alors des idées toutes faites du style « il faut être arriviste dans la vie » ou « qui ne demande rien n'a rien » ou encore « il ne faut pas se moucher au-dessus de son nez » et autres banalités qui peuvent vous freiner bêtement ou vous faire croire que vous n'avez pas mérité ce qui vous arrive. Faites le tri de vos croyances, ne gardez que celles qui correspondent à des principes moraux importants dans la vie et laissez tomber les autres.

▼ Observer ses comportements

La plupart de nos croyances remontent à notre enfance : repensez à ces conversations que vous aviez à table en famille, y avait-il des règles auxquelles il fallait se conformer – ou des dictons – qui forment à présent la base de votre comportement dans la vie ?

REVOIR SON IMAGE

Beaucoup de gens se collent des étiquettes généralement négatives et non fondées. Si vous n'arrêtez pas de répéter que vous êtes « nul en maths », « maladroit » ou « excentrique », vous finissez par en être convaincu et vous agissez en conséquence, même si ces qualificatifs ne correspondent plus du tout à votre personnalité. Ainsi, après avoir réalisé une intervention éprouvante, un conférencier dira de lui qu'il est « timide » mais ne pensera pa à mettre en doute ce défaut ! Pire encore, il lui arrivera de refuser d'intervenir à d'autres conférences, sous prétexte de timidité. Réfléchissez à toutes ces étiquettes dont vous vous affublez : sont-elles récentes ou les utilisez-vous depuis si longtemps que vous ne savez même plus pourquoi vous les employez ? Faites le tri, gardez celles qui s'appliquent encore à vous et rejetez les autres.

▼ Changer la façon de se voir

S'attribuer des étiquettes négatives épuise inutilement et affecte la manière de faire face aux aléas de la vie. Essayez de modifier votre manière d'envisager les choses et vous vous sentirez mieux dans votre peau, même si vous n'arrivez pas toujours à changer la situation.

POINTS CLÉS

- Évitez de vouloir être parfait en tout dans la vie, vous vous mettrez inutilement sous pression.
- Efforcez-vous à faire votre possible dans un ou deux domaines qui vous tiennent réellement à cœur.

« Soyez toujours une excellente version de vous-même au lieu d'être la pâle copie de quelqu'un d'autre. »

Judy Garland

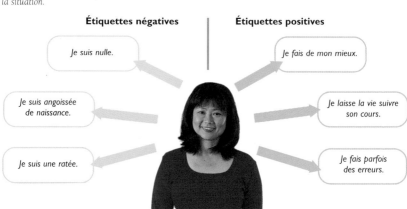

Étiquettes négatives

Je suis nulle.

Je suis angoissée de naissance.

Je suis une ratée.

Étiquettes positives

Je fais de mon mieux.

Je laisse la vie suivre son cours.

Je fais parfois des erreurs.

S'ACCEPTER

S'accepter veut dire apprendre à s'apprécier tel qu'on est. Personne n'est parfait mais si vous vous fixez des objectifs impossibles à atteindre, vous risquez d'être déçu, de stresser et de perdre confiance ; quelqu'un de plus talentueux ou de plus capable que vous n'est pas nécessairement meilleur que vous, vous avez vos propres talents et qualités, qui sont uniques. Par ailleurs, on n'est pas foncièrement bon ou foncièrement mauvais, une bonne action ne fera pas de vous un saint ; tout comme une action que vous regretterez par la suite ne fera pas de vous quelqu'un de mauvais. Apprenez à vous aimer et à vous apprécier pour ce que vous êtes, cela vous aidera aussi à être plus tolérant envers les autres.

▲ **Reconnaît**
Regardez-vous da
voyez que vos déf
estime personnell
mais reconnaisse

Dépasser les réflexions négatives

Styles de réflexions	Exemple	Comment
Faire des généralisations hâtives	« J'ai échoué à ce test ; je suis donc vraiment nul. »	Considérez qu'une mauv... expérience ne s'applique qu'à une situation donnée et n'est pas le reflet de votre personnalité.
Utiliser des affirmations extrêmes pour vous décrire	« J'ai oublié l'anniversaire de ma sœur, je suis donc une mauvaise sœur. »	Soyez plus rationnel et recherchez un juste milieu ; éviter de vous condamner pour un simple faux pas.
Faire une montagne d'un rien	« La réunion de demain sera sûrement cauchemardesque. »	Arrêtez de tout dramatiser, prenez du recul : que peut-il se passer de pire ?
Minimiser vos succès	« Ce n'était rien, n'importe qui l'aurait fait. »	Dites-vous que ce que vous avez réussi n'est pas négligeable et donnez-vous une tape d'encouragement !
Émettre des hypothèses excessives	« Il baille – ce que je dis doit être extrêmement ennuyeux. »	Apprenez à demander aux gens ce qu'ils pensent réellement au lieu d'imaginer que vous le savez.
Vous juger à l'aune des autres	« Je devrais m'exprimer aussi clairement qu'elle. »	Admettez vos limites et jugez-vous selon vos mérites.

Manifester sa Confiance

Faire preuve d'assurance, c'est afficher une certaine maîtrise de soi et se sentir à l'aise. Apprenez à réfléchir, à vous comporter, à vous mouvoir, à vous exprimer et à communiquer avec la plus grande confiance.

Réfléchir Rationnellement

Apprendre à réfléchir objectivement et calmement contribue à ce que l'on se sente plus confiant, surtout dans des circonstances difficiles. Apprenez à être réceptif aux autres et attentif à ce qui se passe autour de vous, vous parviendrez ainsi à manifester votre confiance de manière efficace.

POINT CLÉ

● Dans une situation conflictuelle, attachez-vous à comprendre le point de vue de l'autre.

En bref

● Le manque d'assurance disparaît lorsque vous vous attachez à penser plus aux autres qu'à vous-même.

● En dialoguant avec les autres, n'hésitez pas à poser des questions, cela crée une atmosphère détendue.

● Pour analyser une situation, commencez par trouver des points communs entre vous et les autres.

ANALYSER UNE SITUATION

Dans des circonstances difficiles ou lorsque vous manquez d'assurance, imaginez que vous êtes un chercheur qui rassemble des informations et des enseignements : vous pourrez ainsi mieux comprendre le problème qui se pose à vous. Les bons chercheurs posent des questions constructives, évaluent et analysent leurs résultats, ils peuvent ainsi mieux s'y prendre lorsque des situations similaires se présentent à eux par la suite. Ainsi, lorsqu'une situation vous paraît difficile, agissez comme ces chercheurs, prenez du recul et analysez le problème en toute objectivité. Veillez à ce que vos questions soient constructives et orientées vers les autres.

ALLER VERS LES AUTRES

Lorsque vous vous sentez mal à l'aise, évitez de vous soucier de ce que les gens pensent de vous, cela ne fera qu'accroître votre anxiété. Tournez-vous plutôt vers les autres, attachez-vous à les comprendre et nouez de bonnes relations avec eux au lieu de vous focaliser sur vous-même. Considérez les gens et les situations comme ils sont réellement. Plus vous pratiquerez cette approche d'ouverture et plus vous développerez une forme d'intelligence émotionnelle : voyez comme les gens confiants sont rarement soucieux d'eux-mêmes, ils se sentent suffisamment assurés pour reporter toute leur attention sur les autres.

POINT CLÉ

● Si vous sentez l'anxiété vous envahir, rappelez-vous que ce sentiment ne vous fera pas de mal et qu'il finira par passer.

Comprendre les autres ▶
Dans des situations difficiles – lors de réunions d'affaires – mieux connaître vos interlocuteurs et évaluer leur état d'esprit vous aidera à aller vers eux.

Analyser une situation

Situation	Questions à se poser
Rencontrer quelqu'un en société	Que fait cette personne ? Qu'est ce qui la motive ?
Participer à une réunion	Qui sera là ? Quel semble être leur état d'esprit ?
Aller à un entretien	Que puis-je connaître de l'employeur à l'avance ? Comment l'employeur a-t-il choisi de mener l'entretien ?
Adresser une requête difficile	Comment réagit la personne ? Dois-je lui donner le temps de réfléchir ?
Se faire de nouveaux amis	De quoi cette personne aime-t-elle discuter ? Avons-nous des activités communes ?

Acquérir une Expression Confiante

Un visage ouvert et amical respire la chaleur et la confiance. En vous montrant accessible et disponible aux autres, vous les encouragez à être plus réceptifs envers vous. Exercez-vous à regarder les gens dans les yeux et cultivez une expression sincère et naturelle.

AVOIR UN REGARD DIRECT

En regardant les gens dans les yeux vous affichez votre confiance et leur montrez que vous êtes prêt à communiquer avec eux. Regardez votre interlocuteur quand vous lui parlez mais aussi quand vous l'écoutez, vous pourrez noter ses réactions et réagir en conséquence. Évitez cependant de le fixer pendant trop longtemps, cela peut être interprété comme un signe d'agressivité ou de domination ; inversement, un contact visuel peu soutenu suggère une certaine nervosité, une agitation ou de l'embarras. Sachez enfin que le contact visuel vous aide aussi à poser votre voix : si vous parlez à quelqu'un sans le regarder suffisamment, vous ne pouvez pas juger si votre voix est trop haute ou trop basse.

Soutenir le regard ▶
Pour maintenir le contact visuel qui convient, cherchez à saisir le regard d'un interlocuteur pendant 60 à 70 % du temps : si vous le regardez plus longtemps, vous risquez de le mettre mal à l'aise, en revanche vous semblerez timide si vous le regardez moins longtemps.

POINTS CLÉs

● Ayez toujours l'air intéressé et soyez face aux personnes qui vous parlent, même si vous êtes occupé.

● Souriez quand il le faut mais pas de manière automatique sinon vous paraîtrez peu sincère.

Elle maintient un contact visuel régulier pour montrer l'intérêt qu'elle porte à la conversation.

Il enregistre l'expression de son interlocutrice sans toutefois la regarder fixement.

MONTRER SA SINCÉRITÉ

Un visage ouvert est amical et détendu ; adopter un large sourire conquérant peut aussi être irrésistible mais il n'est pas facile de l'arborer de manière naturelle, un léger sourire suffit amplement. Il est important de s'entraîner à relâcher les muscles de son visage pour éviter d'afficher une expression figée ou stressée quand on est nerveux et que tous les muscles sont tendus.

▼ Exercer les expressions du visage

Regardez-vous dans un miroir et examinez l'expression que vous affichez habituellement : est-elle avenante ou au contraire revêche et distante ? Essayez de trouver des expressions qui vous rendent plus affable et accueillant.

Essayez, par exemple, une expression de légère surprise, les sourcils un peu élevés et les yeux un peu plus ouverts qu'à l'habitude.

Souriez avec vos yeux et vos lèvres sans montrer vos dents.

Se dire

Utilisez les affirmations suivantes pour garder une expression sincère et intéressée en discutant avec quelqu'un.

❝ J'aime discuter avec cette personne. ❞

❝ J'aimerais que cette personne sente que son avis m'est précieux. ❞

❝ Ce que dit cette personne m'intéresse beaucoup. ❞

« Le rire est le soleil qui chasse l'hiver du visage humain. »

Victor Hugo

Exercices utiles

▶ Relâchez une mâchoire tendue en ouvrant largement la bouche et en bâillant tout en tapotant avec les mains les deux côtés de la mâchoire.

▶ Relaxez vos muscles faciaux en resserrant vos lèvres comme pour siffler ou en mâchonnant un chewing-gum avec vigueur.

▶ Pour composer une expression franche et ouverte, relâchez et mettez votre langue derrière vos dents inférieures. Laissez les muscles de votre bouche former un léger sourire.

Développer une Gestuelle Assurée

L'*assurance en soi se décèle à travers la gestuelle, le langage du corps. Apprenez à afficher une gestuelle et des signaux qui montrent que vous êtes bien dans votre peau, vous provoquerez en retour des réactions favorables à votre égard.*

COMPRENDRE LA GESTUELLE

Les signaux que l'on transmet par sa gestuelle sont en général inconscients et révèlent instantanément une certaine assurance en soi ou au contraire un manque de confiance. Les gestes de repli – les signaux remparts –, comme par exemple croiser les bras ou les jambes, sont des gestes implicites de défense et de manque de confiance, ils sont donc à éviter. En revanche, les gestes d'ouverture ou signaux d'expansion montrent une certaine assurance. Ce langage peut parfaitement s'apprendre : trouver une bonne posture, bien se tenir et occuper l'espace confortablement deviennent alors naturels. La manière de marcher, de s'asseoir ou de se tenir debout, les gestes des bras, des jambes, et même ceux que vous faites avec vos mains, vos doigts ou vos pieds, tout cela offre un aperçu de ce que peuvent être votre personnalité et vos sentiments. Pour bien se présenter, il faut veiller à ce que tous les aspects de sa gestuelle soient équilibrés et cohérents.

Analyser la gestuelle ▶

Les postures et la gestuelle de notre corps en disent long sur nos émotions. Il est en conséquence important de réaliser que des gestes à première vue anodins, peuvent en réalité transmettre des signaux négatifs.

POINTS CLÉs

● Pour vous tenir droit sans paraître guindé, imaginez qu'une cordelette part du sommet de votre crâne, vous étire à la verticale et allonge votre nuque et votre dos.

● Penchez-vous légèrement en avant si nécessaire, pour montrer l'intérêt que vous portez à une conversation.

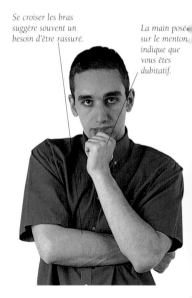

Se croiser les bras suggère souvent un besoin d'être rassuré.

La main posée sur le menton indique que vous êtes dubitatif.

S'EXPRIMER À L'AIDE DE GESTES

Les gestes peuvent aider à faire passer un message mais ils ne doivent en aucun cas prendre le dessus sur la parole. En cas d'hésitation, mieux vaut ne faire aucun mouvement plutôt que d'en faire trop, surtout lorsque vous écoutez quelqu'un. Gardez naturellement les mains ouvertes, cela vous fera paraître sincère, alors que si vous vous tordez les mains vous paraîtrez peu convaincu de ce que vous dites. Enfin lorsque vous intervenez oralement, illustrez vos paroles de gestes amples de la main mais évitez de toucher votre visage ou vos cheveux cela peut affaiblir le poids de vos paroles.

▲ **Avoir l'air naturel**
Certaines personnes « parlent » beaucoup avec leurs mains alors que d'autres ne le font pas du tout. Quel que soit votre cas, ne changez pas brusquement de style, vous auriez l'air peu naturel et gauche.

Analyser les attitudes

Attitudes	Interprétation
Se pencher vers quelqu'un	Montre de l'enthousiasme et un certain engagement ; suggère la volonté de parvenir à une entente.
Se tenir de manière asymétrique	Donne l'impression d'être détendu, décontracté.
Se tenir de manière symétrique	Suggère de la nervosité, une raideur, une retenue.
Se détourner légèrement de la personne	Démontre un manque d'intérêt ou de l'impatience.
S'asseoir confortablement dans son siège	Donne une impression de confort, d'assurance et un sentiment d'importance.
S'affaisser sur son siège	Donne l'impression de manquer d'énergie, de confiance et de ne pas s'impliquer ou de ne pas être responsable.

AMÉLIORER SA GESTUELLE

En matière de langage corporel, la symétrie démontre un certain formalisme ; ainsi, si vous vous raidissez lorsque vous êtes nerveux, faites passer le poids de votre corps sur une seule jambe : cela vous aidera à vous sentir et à paraître moins tendu. Gardez vos bras décontractés pour bien indiquer que vous n'avez rien à cacher. Debout, penchez-vous vers l'avant pour montrer que vous êtes à l'écoute. Assis, posez-vous en avant, évitez de croiser vos bras et vos jambes et d'entremêler vos doigts.

Les données

Selon les experts, les gestes des mains aident non seulement à faire passer le message à celui qui l'écoute, mais ils permettent aussi à l'orateur de coordonner sa pensée. Les recherches ont démontré que, lorsqu'on empêche les gens d'utiliser leurs mains, leur capacité à communiquer clairement leurs idées s'en trouve nettement affectée.

Les bras croisés forment un rempart.

Les bras amplifient la largeur du corps.

Les bras indiquent une approche décontractée.

▲ **Être sur la défensive**
Les bras croisés sur le corps démontrent un besoin de protection et indiquent un manque d'assurance.

▲ **Rechercher la confrontation**
Mettre les mains sur ses hanches peut être interprété comme agressif car ce geste est une affirmation de supériorité.

▲ **Afficher sa confiance**
Une posture équilibrée, le buste redressé et les bras relâchés montrent un comportement amica et à l'aise.

À faire

✓ Offrez une bonne impression de vous-même lorsqu'on vous présente quelqu'un : donnez une poignée de main franche et ferme.

✓ Marchez d'un bon pas, déterminé et sans précipitation.

✓ Faites comme si vous étiez l'hôte d'une soirée, même si ce n'est pas le cas vous accueillerez les gens avec affabilité.

À ne pas faire

✗ Évitez d'arriver en retard à une réunion ou à une soirée : tout le monde aura déjà fait connaissance.

✗ Évitez de figer votre expression ou de sourire d'une manière contrainte, variez les expressions pour montrer que vous êtes attentif.

✗ Évitez de tripoter nerveusement vos cheveux, votre stylo ou votre cravate.

OCCUPER L'ESPACE

L'espace que semble occuper un individu est un indicateur de son niveau de confiance en lui. Quelqu'un qui est confortablement calé dans un fauteuil et qui occupe un certain espace semble satisfait d'être le point de mire et il est en général perçu comme étant sûr de lui. Les leaders, qu'ils soient debout ou assis, se placent toujours un peu en hauteur. L'espace est enfin souvent associé au statut hiérarchique, ainsi plus un bureau est grand, plus son occupant est haut placé.

Ses épaules sont tombantes.

Ses mains sont serrées entre ses jambes.

Il est assis au bord du siège.

Afficher son insécurité ▶

Une personne ratatinée sur un siège, qui occupe le moins de place possible et se fait toute petite, cherche à ne pas attirer l'attention. Elle manque manifestement de confiance en soi.

POINTS CLÉS

● Exercez-vous devant un miroir à vous tenir assis ou debout de manière confiante : même s'il peut sembler artificiel, cet exercice est très utile.

● Prenez l'habitude de vérifier que vous êtes assis bien droit.

SURVEILLER SA POSTURE

Avec une bonne posture vous pouvez paraître plus élancé et plus confiant, et votre respiration s'en trouve améliorée. Les mauvaises postures s'acquièrent très vite, mais il est facile de remédier à ces mauvaises habitudes : reprenez une bonne posture en imaginant qu'une ficelle au sommet de votre crâne vous tire vers le haut comme une marionnette. Décontractez la nuque et les épaules, prenez conscience que les abdominaux et le dos soutiennent votre corps, et gardez la colonne vertébrale et le bassin bien alignés.

S'ENTRAÎNER À UNE BONNE GESTUELLE

Sollicitez l'aide de deux personnes de votre entourage pour vous filmer ; demandez à l'une de discuter avec vous – ou de vous aider à préparer un entretien, par exemple – pendant que l'autre filme la scène. Une fois celle-ci enregistrée, visionnez-la avec ces amis et demandez-leur de réagir à votre gestuelle. Recommencez la scène en variant votre attitude autant de fois que nécessaire pour parvenir enfin à afficher une certaine confiance.

Utiliser un caméscope
Si vous ne possédez pas de caméscope, n'hésitez pas à louer ou à emprunter un appareil pendant quelques jours.

Paraître Confiant

En soignant votre apparence extérieure vous donnez l'impression d'être en harmonie avec vous-même. Même si vous avez peu de temps à consacrer à votre look, de simples astuces permettent d'avoir une allure assurée.

PRENDRE SOIN DE SOI

Il n'est pas nécessaire de dépenser des fortunes pour prendre soin de soi, ni même d'y consacrer beaucoup de temps, surtout si vous privilégiez un look simple et naturel, loin de toute sophistication. Un léger maquillage – pour les femmes – sera plus flatteur. Si vous n'avez pas le temps d'aller régulièrement chez le coiffeur, faites-vous faire une coupe facile à entretenir ; n'oubliez pas qu'une couleur de cheveux proche de leur ton naturel nécessitera moins d'entretien et surtout s'harmonisera mieux à votre carnation. Enfin, les hommes, tout autant que les femmes, doivent se faire couper régulièrement les cheveux et veiller à avoir en toute circonstance une bonne hygiène dentaire et corporelle.

Prendre de bonnes habitudes ▶
Accordez-vous 10 minutes tous les matins pour soigner votre apparence. Sortez de chez vous frais et impeccable, vous attaquerez votre journée en toute confiance.

« Les apparences ne sont pas un critère de vérité, mais nous semblons ne pas en avoir d'autres. **»**

Ivy Compton-Burnett

Les données

Les soins de beauté ont longtemps été l'apanage des femmes, mais les hommes y prennent goût : en effet, ils sont de plus en plus nombreux à prendre soin de leur apparence et à s'occuper de leur look. Ainsi sur un échantillon de mille hommes interrogés sur les soins qu'ils s'étaient offerts au cours des douze derniers mois, 8 % ont déclaré être allés au sauna, 5 % ont fait des UV, et 1 % se sont fait faire une manucure ou un soin du visage. L'enquête avait conclu que les soins de beauté pour hommes étaient en nette progression.

Entretenir ses vêtements ▶

Lorsque vous achetez des vêtements, veillez à la composition des tissus, les fibres naturelles respirent mieux que les synthétiques et sont donc plus confortables à porter. Prenez l'habitude d'accrocher vos habits sur des cintres après les avoir portés et laissez-les s'aérer toute une nuit avant de les ranger dans votre placard.

S'HABILLER

Les vêtements que vous portez traduisent votre volonté de vous fondre dans un certain anonymat ou au contraire de vous singulariser et d'exprimer votre personnalité. Pour avoir l'air assuré, et quel que soit votre style, vous devez vous sentir à l'aise dans des vêtements qui vous vont bien, qui sont coupés dans des tissus de qualité et dont les couleurs vous conviennent. Enfin, choisissez des vêtements qui mettent en valeur votre silhouette, vous y gagnerez en assurance.

Les habits bien entretenus gardent longtemps leur belle allure.

RENOUVELER SA GARDE-ROBE

Consacrez tous les ans une ou deux journées à revoir votre look : passez vos placards au peigne fin, donnez à des œuvres de charité tout ce qui n'a pas été porté au cours de l'année écoulée. C'est aussi le moment d'envisager un changement d'image pour ne pas tomber dans une certaine facilité. Les magazines spécialisés regorgent d'idées que vous pourriez essayer, mais n'hésitez pas à prendre aussi conseil auprès de votre entourage : si l'un ou l'autre vous dit qu'il en a assez de vous voir dans ce pantalon tout avachi… Eh bien ! Jetez-le !

En bref

● Lorsque vous êtes bien habillé, vous présentez une image plus assurée.

● Les vêtements dans lesquels vous êtes à l'aise sont plus flatteurs.

● Il vaut mieux éviter les couleurs trop voyantes : limitez le rose fuchsia ou le vert pomme à des accessoires, comme des écharpes, par exemple.

S'exprimer avec Assurance

Quand vous vous exprimez de manière confiante, vos interlocuteurs vous prennent plus au sérieux et ce que vous dites leur semble également plus intéressant. Il existe des techniques pour apprendre à poser, à projeter ou à hausser sa voix pour avoir l'air plus assuré.

CONTRÔLER SA VOIX

Il faut apprendre à contrôler sa voix pour avoir l'air confiant. Les émotions ont une influence indéniable sur la voix, elle se met à trembler ou au contraire le ton devient aigu et ce que vous dites se perd dans un bredouillement essoufflé : quand vous êtes ému, vous respirez mal, votre gorge est serrée et vous semblez manquer d'air. Il suffit, pour reprendre le contrôle de sa voix, de retrouver un rythme normal de respiration et de s'arrêter un instant pour boire un peu d'eau, par exemple. N'essayez pas de combattre votre anxiété, elle ne fera que s'accentuer, concentrez plutôt votre énergie à respirer profondément et dites-vous que l'angoisse finira par s'estomper.

▼ **Faire des exercices de respiration**
Exercez-vous à contrôler votre voix : en prenant une profonde inspiration, vous ressentez immédiatement un effet relaxant. Imaginez que vous inhalez le calme et que vous exhalez la tension.

Soupirez à chaque fois que vous respirez pour vous décontracter encore plus.

Posez votre main sur votre cage thoracique pour la sentir s'ouvrir et se contracter.

AMÉLIORER LA PORTÉE DE SA VOIX

Si le timbre de votre voix est plutôt contenu, imaginez que votre voix a besoin d'occuper plus l'espace. Il existe une technique très facile pour cela : tendez votre bras droit aussi loin que possible, la paume dirigée vers vous. Comptez à haute voix jusqu'à 10 en dirigeant et en projetant la voix vers votre main. À partir de là, chaque fois que vous prenez la parole, gardez à l'esprit cette image d'une voix qui se porte vers la main. Une autre technique utile consiste à articuler clairement comme si votre interlocuteur devait lire sur vos lèvres. Enfin, décontractez les traits de votre visage, vous aurez du mal à lancer votre voix si votre expression reste figée : faites une courte pause, respirez profondément et exagérez légèrement les mouvements de votre bouche et de votre mâchoire de façon à décontracter vos cordes vocales et les muscles de votre gorge.

Tenez le magnétophone à cette distance de votre bouche et exercez le volume de votre voix.

▲ **Exercer le volume d'une voix**
Parlez dans un magnétophone en vous exerçant à hausser le ton (imaginez un volume de 1 à 10.) Écoutez votre voix à ces différents niveaux sonores pour mieux la connaître et la maîtriser.

Exercices utiles

▶ Lorsque vous avez la gorge serrée, essayez de bâiller discrètement à plusieurs reprises pour décontracter les muscles.

▶ Lorsque vous vous sentez nerveux, respirez doucement et calmement ; votre respiration et votre rythme cardiaque ralentiront automatiquement et vous reprendrez le contrôle de votre voix.

▶ Si votre voix commence à trembler, faites une pause rapide et profitez-en pour respirer profondément.

COMPRENDRE LA NOTION DE TON

Le ton est la note qui permet de dire qu'une voix est haute ou basse. Une voix basse et claire indique une certaine assurance alors qu'en revanche une voix haut perchée et tremblante exprime de la nervosité. La voix assurée des animateurs de radio ou de télévision ainsi que celle des politiciens, jouent des variations de ton pour mieux transmettre un message. Si vous voulez avoir l'air autoritaire, baissez le ton de votre voix et, au téléphone, par exemple, pour manifester votre détermination, accompagnez vos paroles d'un geste précis en tapant du doigt ou du crayon sur votre bureau : votre ton baissera et vous semblerez plus résolu. Entraînez-vous à utiliser cette technique, elle vous sera utile chaque fois que vous devrez affronter des situations difficiles.

Converser avec Assurance

Savoir engager et entretenir une conversation est un signe essentiel de la confiance en soi. Vous êtes peut-être déjà assez expérimenté en la matière, mais vous pouvez malgré tout améliorer encore votre aptitude à dialoguer en puisant dans les diverses techniques présentées.

ENGAGER UNE CONVERSATION

Il est parfois très intimidant d'entrer dans une pièce pleine d'inconnus et d'essayer d'engager la conversation. Dans un cas comme celui-ci, prenez d'abord le temps d'observer l'assemblée. Arborez une expression détendue et amicale et cherchez des yeux une personne susceptible d'avoir quelques points communs avec vous – quelqu'un sensiblement de votre âge ou qui partage vos goûts vestimentaires, par exemple. Soyez prêt à poser des questions polies, du style « Vous permettez que je me joigne à vous ? » ou « Connaissez-vous beaucoup de personnes parmi les invités ? » ou plus simplement « Avez-vous aperçu notre hôte ? ». Montrez-vous ensuite intéressé par votre interlocuteur, demandez-lui s'il habite ou travaille dans les environs. Si cela vous rassure, et avant d'aller à une soirée, par exemple, réfléchissez à d'éventuels sujets de conversation ou lisez un journal pour y puiser un thème intéressant que vous pourriez évoquer au cours d'une conversation.

Bavarder en confiance ▶
Engagez chaque jour une conversation avec une personne que vous ne connaissez pas très bien. Une maman, par exemple, peut se mettre à bavarder avec une autre au square ou à la crèche.

Types de questions

> Informez-vous sur les relations privées d'une personne – famille, amis ou compagnon.

> Informez-vous sur sa profession, ses hobbies ou ses loisirs favoris.

> Informez-vous sur son environnement, le quartier qu'elle habite, la distance avec son lieu de travail.

> Continuez à poser des questions générales jusqu'à trouver un point commun.

ENCOURAGER LA CONVERSATION

Pour savoir converser avec assurance, il faut d'abord savoir écouter. Une bonne capacité d'écoute est essentielle pour apprendre à connaître les gens et nouer des relations profondes. Écoutez attentivement ce que vous dit votre interlocuteur et posez les bonnes questions au bon moment ou faites de simples remarques à propos de ce qui vient d'être dit pour montrer que vous suivez bien. N'hésitez pas à dévoiler ou à exprimer un sentiment personnel, cela encouragera l'interlocuteur à s'exprimer en retour. Dites, par exemple, « Je comprends très bien ce que vous voulez dire au sujet de la conduite en centre-ville, pour ma part je évite le plus possible. »

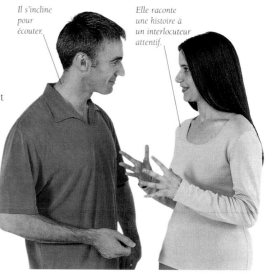

Il s'incline pour écouter.

Elle raconte une histoire à un interlocuteur attentif.

▲ **Écouter attentivement**
Donnez toute votre attention aux autres personnes, en évitant de les interrompre et en utilisant un langage corporel ouvert qui montre que vous êtes réceptif et intéressé à ce qui se dit.

BAVARDER

Parler de la pluie et du beau temps permet de se faire une première idée de son interlocuteur et de décider ensuite s'il est souhaitable ou non de faire plus ample connaissance. Le sujet abordé peut très bien être futile et banal, mais ce simple bavardage permet néanmoins de connaître l'autre, d'observer son comportement et de découvrir d'éventuels points d'intérêt communs. Dans ce genre de conversation, souvent convenue, on se cantonne à formuler des opinions, à décrire des faits ou à susciter une réaction en posant des questions banales. Maintenez la conversation en posant des questions générales ou des questions qui commencent par comment, où, quand et pourquoi, vous finirez par trouver un terrain d'entente.

POINTS CLÉS

● Rappelez-vous que la plupart des gens aiment parler d'eux-mêmes – posez donc les bonnes questions et ils seront mis en confiance.

● Pour une meilleure entente encore, utilisez une gestuelle similaire à celle de votre interlocuteur, sans toutefois le singer.

Adopter une Attitude plus Confiante

Une des meilleures façons de développer sa confiance est de prétendre être sûr de soi, même si au fond de vous-même vous n'éprouvez pas ce sentiment. Imaginez un instant comment les autres vous voient lors d'une première rencontre, et prenez des dispositions radicales pour changer votre image.

POINT CLÉ

● Essayez de toujours commencer votre journée par une activité que vous aimez particulièrement.

« On intègre en soi la force des épreuves surmontées. »

Ralph Waldo Emerson

SE LANCER DES DÉFIS

Pour mieux se connaître et s'exercer à prendre une attitude confiante, il est très utile d'être confronté à des situations inhabituelles, face à de parfaits inconnus. Il est en effet souvent plus facile de se comporter avec assurance devant des personnes qui ne connaissent rien de votre passé et ne s'attendent aucun comportement précis de votre part : vous serez surpris de la manière dont ils réagissent à votre égard. N'hésitez pas à participer à des activités qu vous ont toujours intéressé comme par exemple un sport de glisse ou des randonnées de l'extrême si vous aimez les défis physiques. Autrement, inscrivez-vous à des cours du soir pour apprendre un langue étrangère.

◀ **Être aventureux**
Recherchez une nouvelle activité originale et agréable : mettez-vous, par exemple, au défi d'entreprendre un sport difficile, comme la plongée sous-marine.

MONTRER SA CONFIANCE

Les recherches tendent à démontrer que les premières impressions sont souvent les plus déterminantes. Lorsque nous rencontrons une personne pour la première fois, nous recherchons immédiatement les signes qui permettent de la classer dans une catégorie de caractère donnée ; cette première impression persiste souvent pendant longtemps. Il est donc primordial de faire bonne impression lors d'une première rencontre, puisque c'est celle-ci qui marquera vos interlocuteurs : votre comportement – et dans une moindre mesure les mots que vous prononcerez – sera analysé en premier. Sachez que pour afficher une certaine assurance, il faut que votre gestuelle et l'expression de votre visage soient en accord avec vos paroles. S'il y a une discordance entre ce que dit une personne et la manière dont elle le dit, sa gestuelle et son comportement primeront sur ses dires – un invité déclare par exemple être heureux de participer à la soirée, mais sa gestuelle et sa mimique nerveuse démentent ses paroles.

Faire bonne impression ▶

Demandez à quelqu'un de vous aider à perfectionner une « première impression » : entrez dans une pièce, serrez la main de cette personne et présentez-vous. Demandez ensuite quelle impression vous faite.

Il sourit et établit le contact par le regard.

Il serre la main avec chaleur.

Il se tourne vers l'interlocuteur.

Les données

La gestuelle est plus importante que les mots, en termes de première impression. Quatre minutes suffisent pour se faire une idée des gens que l'on rencontre : cette idée est basée à 55 % sur des signes visuels, à 38 % sur des signaux auditifs et enfin à 7 % seulement sur les mots entendus.

Exercices utiles

▶ Juste avant d'entrer dans une salle, répétez-vous : « Relève la tête, redresse le buste et les épaules, décontracte ta mâchoire, souris et respire lentement. »
▶ Exercez votre poignée de main avec un ami pour vérifier que votre prise est ferme sans être puissante, et résolue plutôt que molle ou relâchée.
▶ Lorsque vous rencontrez des gens pour la première fois, cherchez à savoir comment ils se sentent et aidez-les à se décontracter : vous serez à votre tour plus détendu

Développer sa Confiance Intérieure

Vous projetez de l'assurance lorsque vous vous sentez estimé et en paix avec vous-même. Efforcez-vous de vous connaître, de vous accepter, de vous améliorer, et soyez surtout votre meilleur ami, voire votre coach.

Apaiser son Esprit

La pratique de la méditation aide à prendre conscience de soi et encourage à appréhender les événements extérieurs – et soi-même – sous un angle différent. Ménagez-vous du temps pour méditer, éclaircir vos idées et remonter votre niveau de confiance.

MÉDITER

La méditation renforce la confiance intérieure, améliore la concentration, éclaircit les idées et apporte la sérénité. L'esprit se détend, la paix et le bien-être éprouvés aident à mieux appréhender les problèmes qui nous préoccupent. Les techniques de la méditation sont relativement faciles à maîtriser et la méditation peut tout à fait se pratiquer chez soi. Ménagez une plage quotidienne de 20 minutes pour méditer à un moment tranquille de la journée – le matin au réveil, après le déjeuner ou à la fin d'une journée de travail pour mieux marquer la coupure entre le travail et les loisirs.

Il ralentit son rythme respiratoire.

▲ **Pratiquer la méditation**
Asseyez-vous dans un endroit calme où vous ne risquez pas d'être dérangé. Mettez une musique d'ambiance, et respirez lentement et profondément. Essayez d'« être » et non de « faire ».

DÉTENDRE SON ESPRIT ET SON CORPS

Il est difficile de se sentir calme et confiant lorsqu'on est stressé et épuisé. Prenez le temps de vous détendre et soignez votre bien-être physique et mental. Planifiez au moins deux périodes dans une journée au cours desquelles vous pourrez « déconnecter », en écoutant par exemple de la musique, en lisant, en regardant la télévision ou même en jardinant si cela vous aide à vous détendre. Faites régulièrement de l'exercice et, lors d'une période stressante, prévoyez un « plan relaxation » hebdomadaire : écoutez une cassette de relaxation, allez au sauna ou faites une séance de réflexologie.

POINTS CLÉS

● Apprenez à vous dorloter – vous gâtez certainement votre entourage, pourquoi pas vous-même ?

● Limitez les apports d'excitants – la caféine et l'alcool peuvent contribuer à votre stress.

▼ **Profiter des bienfaits d'un massage**
Le massage soulage le stress et les tensions qui s'installent dans les muscles. Il a également un effet désintoxiquant sur tout le corps puisqu'il améliore les systèmes lymphatique et circulatoire et il contribue à vous revitaliser tout en vous relaxant.

Le masseur appuie sur les points de stress pour décontracter les muscles tendus.

AMÉLIORER SA CONCENTRATION

Pour développer la confiance en soi, il faut exercer son attention à se fixer sur des idées et des actions constructives, et pour cela une bonne concentration est nécessaire. Essayez de travailler régulièrement votre concentration : ménagez une plage quotidienne de 30 minutes au moins de manière à vous absorber totalement dans une activité quelle qu'elle soit – du dessin, de la peinture, des mots croisés. Cela vous aidera à améliorer votre faculté de concentration à long terme.

Apprécier un bon livre
La lecture est une excellente méthode pour améliorer sa concentration.

Connaître son Type de Personnalité

Selon les personnalités, les besoins en termes de développement de la confiance en soi diffèrent. Découvrez votre type de personnalité – introverti, extraverti – afin de pouvoir identifier, puis améliorer, les domaines dans lesquels vous manquez d'assurance.

ANALYSER SA PERSONNALITÉ

Alors que la plupart des gens sont souvent à la fois introvertis et extravertis, beaucoup appartiennent plutôt à l'une ou l'autre des typologies. Pour les introvertis, essentiellement tournés vers eux-mêmes, une pensée rationnelle est essentielle : ils aiment, en général, que les choses soient ordonnées, structurées, précises dans leur tête et si possible dans leur environnement. Les extravertis, plus ouverts sur le monde, aiment par-dessus tout les relations et l'interaction avec les autres : ils recherchent l'approbation des autres et estiment que leurs réactions les dynamisent.

POINTS CLÉS

● Examinez votre apparence : si vous arborez un look simple qui vous permet de vous fondre facilement dans la masse, vous êtes probablement du type introverti.

● Si vous aimez que votre look – couleurs, motifs – attire l'attention, vous êtes probablement du type extraverti.

▼ **Reconnaître les caractéristiques des uns et des autres**
Les extravertis apprécient, le plus souvent possible, d'être entourés et aiment confronter leurs opinions avec les autres ; en revanche, les introvertis sont plus introspectifs et ont besoin de se retrouver seuls.

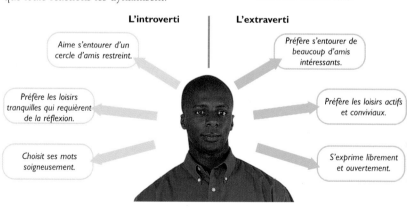

L'introverti

Aime s'entourer d'un cercle d'amis restreint.

Préfère les loisirs tranquilles qui requièrent de la réflexion.

Choisit ses mots soigneusement.

L'extraverti

Préfère s'entourer de beaucoup d'amis intéressants.

Préfère les loisirs actifs et conviviaux.

S'exprime librement et ouvertement.

Quel est votre type de personnalité ?

Lisez les questions ci-dessous et cochez la case qui vous correspond le mieux.

● Qu'est ce qui vous semble être le plus stimulant ?

a) votre propre compagnie ☐
b) la compagnie d'autres personnes ☐

● Comment vous voyez-vous ?

a) déterminé et réfléchi ☐
b) sociable et ouvert ☐

● Qu'est ce qui est plus important pour vous ?

a) penser clairement ☐
b) obtenir une réaction des autres ☐

● Que détestez-vous le plus ?

a) le chaos ☐
b) la solitude ☐

● Que préférez-vous ?

a) accomplir des choses ☐
b) bien gérer vos relations avec les autres ☐

Analyse : si vous avez coché une majorité de « a », vous avez probablement une tendance à l'introversion, alors qu'inversement une majorité de « b » montre votre tendance à l'extraversion.

Apprendre à écouter ▶
Les extravertis ont souvent tendance à penser tout haut et manquent parfois de tact. Il leur serait bénéfique d'écouter un peu plus les autres et d'apprendre à réfléchir avant de parler.

ÊTRE PLUS EXTRAVERTI

Si vous êtes plutôt du genre introverti, vous êtes probablement sûr de votre manière de penser et confiant en vos objectifs. Vous aimez l'ordre, c'est-à-dire que vous planifiez tout à l'avance, et pourtant vous angoissez à l'idée de n'avoir pas tout prévu. Essayez d'être moins rigide dans votre façon de penser, vous gagnerez à être un peu plus spontané et flexible. Ainsi, par exemple, même si vous n'aimez pas les mondanités, allez quand même à cette réception où vous êtes invité, rien ne dit que vous n'y passerez pas un bon moment !

S'exprimer ▶
Les introvertis devraient s'exercer à bavarder simplement de tout et de rien, cela les ouvrirait aux autres et leur donnerait plus d'assurance.

ÊTRE PLUS INTROVERTI

Si vous êtes plutôt du genre extraverti, vous êtes probablement assez sûr de votre ouverture envers les autres et de votre aptitude à gérer les circonstances sociales. Cependant votre constant besoin d'être rassuré et conforté dans vos idées est un signe évident d'un manque de confiance en soi. Vous devriez prendre le temps de passer un moment seul pour remettre de l'ordre dans vos idées et réfléchir en toute lucidité. Il vous serait utile d'apprendre à méditer, par exemple, et en société soyez moins volubile et expansif, essayez d'être plus à l'écoute des autres pour les rassurer et les aider à se détendre.

Gérer le Regard des Autres

Le regard des autres peut vous rendre très conscient de votre apparence ou de votre manière de parler, au point que vous en soyez embarrassé et mal à l'aise. Oubliez ce que pensent les autres et concentrez-vous plutôt à établir un dialogue avec eux, vous vous sentirez immédiatement beaucoup plus détendu.

POINT CLÉ

● Arborer un sourire confiant est un bon moyen de communiquer avec les autres et de gagner leur sympathie.

Se dire

Utilisez les affirmations suivantes pour vous aider à surmonter votre embarras et votre gêne en société.

« *Je suis content de moi, je n'ai pas besoin de l'approbation des autres.* »

« *Je peux communiquer avec les autres en les écoutant simplement avec enthousiasme.* »

« *Je veux faire connaissance avec cette personne sans me soucier de ce qu'elle pense de moi.* »

ÊTRE INDULGENT AVEC SOI

Si vous êtes constamment préoccupé de la manière dont on vous juge, vous vous sentez forcément mal à l'aise en société ; la petite voix intérieure qui fait sans arrêt des commentaires sévères sur la moindre de vos actions vous envoie ses messages négatifs. Demandez-vous si vous n'accordez pas trop d'importance à l'image que vous cherchez à donner ou si vous ne craignez pas que les autres soient tous plus intelligents que vous. Et rappelez-vous que les autres ne vous jugent certainement pas avec autant de sévérité que vous le faites !

Faire de nouvelles connaissances ▶
Les gens recherchent le contact avec des personnes réceptives et engageantes, essayez de ne pas imaginer qu'ils vous critiquent nécessairement. Soyez amical, réceptif aux autres, et surtout soyez vous-même, vous vous sentirez ainsi beaucoup moins conscient de vos actes, lorsque vous ferez de nouvelles connaissances.

ÊTRE ATTENTIF AUX AUTRES

Avant d'aller quelque part, il est normal de réfléchir à l'image que vous voulez donner de vous. En revanche, lorsque vous y êtes, arrêtez de penser à l'impression que vous faites, consacrez votre énergie à vous rapprocher des autres et soyez réceptif à leurs messages. Si vous vous sentez encore embarrassé, pensez plutôt aux sentiments qu'ils ressentent : aimeriez-vous qu'ils se sentent intéressés, rassurés ou à l'aise ? N'oubliez pas enfin que, lorsque vous donnez aux gens l'attention dont ils ont besoin, vous en bénéficiez aussi en retour.

Elle prend sa carte de visite et pose des questions sur ses activités.

▼ Manifester de l'intérêt
Une conscience de soi exacerbée peut vous faire paraître égoïste ; pour la surmonter, oubliez vos anxiétés et manifestez plus d'intérêt envers les sentiments ou les réactions des autres.

Il est heureux de l'intérêt qu'elle porte à son travail.

PENSER AU PRÉSENT

Si vous vous sentez mal à l'aise parce qu'une situation évoque des circonstances embarrassantes vécues antérieurement, essayez de garder le présent à l'esprit. Par exemple, s'il vous est arrivé de trébucher dans un escalier quelque temps auparavant et que vous craignez de tomber à nouveau, concentrez-vous sur l'instant présent, et si besoin encouragez-vous par des paroles positives : « Je descends cet escalier sans problème, je garde la tête droite, je souris. »

> « L'homme est le seul animal qui rougisse ou qui ait à rougir de quelque chose. »
>
> Mark Twain

À faire

✓ Intéressez-vous vraiment aux autres et réfléchissez aux questions que vous pourriez leur poser pour mieux les connaître.

✓ Essayez de rassurer les autres et de les aider à se sentir détendus.

✓ Vivez dans l'instant présent, surtout si une expérience similaire précédente vous a laissé mal à l'aise.

À ne pas faire

✗ Évitez de vous soucier de ce que les autres pensent de vous, soyez simplement naturel et réceptif à leur égard.

✗ Évitez d'imaginer que les autres vous jugent selon les règles sévères que vous vous imposez.

✗ Évitez de ressasser des erreurs ou des circonstances embarrassantes où vous vous étiez senti peu confiant.

Surmonter l'Anxiété

L'anxiété peut ébranler la confiance en soi, surtout lorsque vous en ressentez physiquement les symptômes et êtes persuadé que les autres les voient. Essayez de contrôler ces symptômes et de les rendre moins visibles, ils finiront bien par disparaître.

Remontez vos épaules et relâchez-les plusieurs fois de suite.

RÉAGIR AU STRESS

Le corps réagit de trois manières au stress : par la fuite, l'agressivité ou le blocage. La fuite devant le stress est la réaction la plus commune, elle se manifeste par une certaine agitation, des mouvements rapides des yeux, des tics et un débit de paroles rapide et essoufflé. La réaction d'agressivité consiste à vouloir attaquer et dominer, elle se manifeste par une violence éventuelle, des regards appuyés et un débit coupant et sec. Enfin le blocage se manifeste par un sentiment d'accablement et de panique qui empêche momentanément de parler ou d'agir.

▲ **Relâcher la tension**
Relâchez la tension nerveuse en étirant votre nuque et vos épaules. Tirez-vous vers le haut et prenez plusieurs inspirations lentes et profondes pour vous décontracter.

Faire face aux symptômes de l'anxiété

Symptôme	Solution
Rougissement	Utilisez une crème pour le visage légèrement teintée de vert pour compenser le rouge qui monte aux joues.
Transpiration	Placez vos poignets sous un filet d'eau froide, tout votre corps en sera rafraîchi.
Bégaiement	Ralentissez votre débit, prenez une gorgée d'eau ou une profonde inspiration.
Tremblement	Faites des exercices avant des épreuves importantes. Serrez un petit objet dans votre main, un caillou dans une poche, par exemple.
Nausée	Buvez une boisson au gingembre ou à la menthe, prenez quelques gouttes d'un extrait de plantes antistress.

RELATIVISER

Quand vous êtes nerveux, vous perdez tout sens des proportions et les épreuves que vous redoutez – une allocution, un examen ou une demande d'augmentation – vous font oublier tous vos autres centres d'intérêt. Ramenez l'événement à sa juste valeur et pour cela imaginez une fresque illustrant l'ensemble de votre vie : si l'événement qui vous tracasse y occupe une trop grande place, placez-le dans un tout petit angle de la fresque. Si vous n'arrivez toujours pas à le chasser de votre esprit, pensez à vous faire plaisir, organisez une sortie agréable juste après l'épreuve que vous redoutez : prévoyez de retrouver des amis, allez faire des courses ou du sport, peu importe, la perspective de cette détente vous aidera à canaliser votre angoisse.

Aller de l'avant ▶

Lorsque vous appréhendez une épreuve, essayez de penser aux moments agréables qui vous attendent juste après – la perspective de vacances en famille, par exemple ; ce que vous redoutez vous semblera alors relativement insignifiant par rapport au reste de votre vie.

ÊTRE POSITIF

Ce n'est pas parce que vous êtes angoissé que tout ira mal, vous êtes peut-être enclin à imaginer des scénarios catastrophes : avant de passer un examen, si vous pensez aux conséquences d'un échec éventuel, vous êtes sûr d'angoisser et vos résultats s'en ressentiront. Pour faire retomber votre angoisse, essayez d'être positif et dites-vous que « ce serait bien de réussir cet examen mais si je le rate, ce ne sera pas la fin du monde ». N'oubliez pas enfin qu'un peu d'angoisse est parfois utile, peut-être même stimulant !

POINTS CLÉS

● Même si vous êtes anxieux, vous pouvez gérer de manière acceptable la situation que vous redoutez.

● Lancez-vous dans une activité de loisir qui comporte une certaine dose d'angoisse juste pour le plaisir de vaincre votre appréhension.

S'identifier à un Modèle

Pour développer sa confiance, il est souvent très utile d'observer le comportement de personnes sûres d'elles et de suivre leur exemple. Choisissez des modèles – réels ou imaginaires – qui vous inspirent et imitez leur comportement dans des situations difficiles.

APPRENDRE DES AUTRES

Vous pouvez stimuler votre confiance en suivant l'exemple d'une personne qui vous semble avoir toutes les qualités qui vous manquent pour affronter vos angoisses. Ce « modèle » peut être un ami, un collègue, une star de cinéma, un héros d'une bande dessinée ou un mélange de plusieurs personnes à la fois. Inspirez-vous de l'attitude de votre modèle et observez son comportement envers les autres – sa façon de rassurer les gens, de les complimenter, par exemple. Observez aussi son apparence, sa manière de prendre la parole et de transmettre ses idées pour l'imiter efficacement à votre tour.

Changer de comportement

> Imaginez une situation dans laquelle vous aimeriez être plus confiant.

> Pensez à la personne la plus confiante que vous connaissez, qu'elle soit réelle ou de fiction, vivante ou décédée.

> Visualisez votre modèle traitant cette situation.

> Essayez d'imiter le comportement de votre modèle dans la vie réelle.

Choisir un modèle ▶
Votre modèle doit être quelqu'un que vous admirez et auquel vous pouvez facilement vous identifier – en fait la personne confiante, positive et heureuse que vous aimeriez être.

POINT CLÉ

● Si vous êtes hésitant sur la conduite à tenir, imaginez ce que ferait votre modèle à votre place.

Elle vous inspire du respect.

Elle a déjà connu une situation similaire.

Elle communique bien.

Elle a surmonté les obstacles avec succès.

Elle a une attitude positive.

TROUVER L'INSPIRATION

Si vous ne savez pas comment trouver un modèle,
consultez des journaux ou des magazines, ils
regorgent d'interviews intéressantes. Hormis les
articles sur les célébrités, vous y trouverez des
reportages souvent émouvants sur des gens tout à
fait ordinaires qui ont accompli des choses peu
banales. Les biographies ou les autobiographies de
personnalités importantes ou reconnues pour leur
action, sont tout aussi intéressantes à lire et faciles
à trouver en librairie. Pensez aussi aux films
documentaires qui passent à la télévision.

Apprendre par les biographies
*Il est souvent intéressant de connaître
les problèmes et les succès des autres
pour s'en inspirer.*

JOUER UN RÔLE

Lorsque vous essayez pour la première fois
d'imiter votre modèle, choisissez, de préférence,
une situation familière. Ainsi, par exemple, en
emmenant vos enfants à l'école, arborez un air
plus assuré face aux autres parents ou, sur un
tout autre registre, entraînez-vous à répéter,
dans des réunions informelles, des extraits de
l'allocution que vous devrez prononcer à une
conférence – vous serez fin prêt le jour dit.
Visualisez aussi toutes les étapes qui précèdent
la prise de parole et imaginez-vous prenant la
parole le jour de la conférence, contrôlant votre
angoisse, parlant clairement et souriant aux
participants, en un mot immergez-vous dans ce
personnage comme si c'était un rôle à jouer
dans une pièce de théâtre.

*Elle s'entraîne à
poser sa voix
pendant le cours
d'art dramatique.*

Exercices utiles

▶ Regardez un documentaire consacré à une
figure éminemment connue pour avoir accompli
de grandes choses, et essayez de comprendre
comment il ou elle a surmonté les obstacles.

▶ Si votre modèle est un de vos amis, demandez-
lui comment il a bâti sa confiance et sollicitez ses
conseils.

▶ Notez les phrases que prononce votre modèle
quand il veut mettre les gens à l'aise : vous pourrez
aussi vous en servir.

▲ **Faire un stage**
*Vous pouvez améliorer vos dons d'acteur
en participant à un stage d'art
dramatique. Chanter ou jouer d'un
instrument aide également à développer
la confiance en soi.*

Gérer les Revers

Comme c'est souvent le cas dans les processus de développement personnel, les choses ne vont pas toujours dans le sens souhaité. Faites face aux déceptions avec un peu d'humour, exprimez vos sentiments, et surtout faites une pause si vous en ressentez le besoin.

« Le chemin de la réussite est pavé d'échecs. »

Mickey Rooney

▲ **Prendre les échecs avec légèreté**
Pouvoir rire d'un échec avec un ami – surtout si ce revers était particulièrement humiliant – vous aidera à vous sentir moins démoralisé et fera passer ce moment difficile.

GARDER LE SENS DE L'HUMOUR

Trouver le côté amusant de chaque déconvenue est une manière saine de prendre du recul par rapport aux événements. L'humour joue un rôle important dans la confiance en soi, il permet de ne pas se prendre trop au sérieux. Seuls ceux qui manquent d'assurance sont soucieux de protéger une image de soi déjà fragile. Lorsque vous faites des erreurs, soyez le premier à en rire et faites en rire les autres pour détendre l'atmosphère ; un échec n'est finalement pas très important par rapport au reste de votre vie. Enfin, si vous pensez que votre existence est dénuée d'humour, n'hésitez pas à aller voir un film drôle, une comédie ou un spectacle humoristique qui vous remontera le moral.

EN PARLER

Si votre allocution a été plutôt mal reçue ou si vous vous êtes senti intimidé et mal à l'aise au cours d'une réception, parlez-en tout de suite après pour évacuer la déception et voir les choses sous un angle positif et plus léger : décrire ce qui s'est passé vous permettra de comprendre les raisons de cet échec ou de réaliser que vous aviez peut-être placé la barre trop haut. Quoi qu'il en soit, à force de raconter l'incident, vous finirez par ressentir moins vivement la déception.

POINTS CLÉS

● Après avoir subi un revers, donnez-vous une demi-heure pour analyser à tête reposée ce qui s'est exactement passé.

● Une fois le revers digéré, tournez la page et passez à autre chose.

Exercices utiles

▶ Si le revers subi risque de vous décourager, appliquez la méthode de « visualisation constructive », repensez à ce qui s'est passé, revivez la scène et laissez-la s'effacer progressivement au loin.

▶ Pour rester concentré sur votre objectif d'acquisition de confiance, imaginez le comportement de la personne sûre d'elle que vous serez bientôt, imprégnez-vous de cette image, et repensez-y à chaque fois que la perspective d'un échec vous traverse l'esprit.

FAIRE UNE PAUSE

Ne présumez pas trop de vos forces sinon vous risquez de perdre toute votre énergie ; un échec est parfois simplement le signe que vous en faites trop et que vous êtes tellement concentré sur votre objectif de confiance que vous en perdez le sens de la mesure. Si c'est votre cas, il vaudrait mieux pour un moment que vous reportiez votre attention sur quelque chose de totalement différent. Prenez aussi le temps de vous relaxer, et oubliez un moment votre recherche de confiance, vous y retournerez plus tard après avoir repris des forces !

Étude de cas

NOM : Richard
PROBLÈME : la timidité
OBJECTIF : se sentir à l'aise face à des inconnus

La profession de Richard implique un certain nombre d'obligations sociales, mais il éprouve de grandes difficultés à aller vers des inconnus. Au cours d'une soirée inaugurale où il ne connaît personne, ses efforts pour engager la conversation se soldent par un échec et il rentre chez lui très démoralisé. Richard est malgré tout déterminé à surmonter ce revers et s'en ouvre le lendemain à son directeur qui lui suggère, à l'avenir d'aborder les gens comme s'ils étaient des connaissances de longue date. Il décide de laisser passer quelques semaines et de changer totalement de stratégie à la prochaine occasion. Au cours de l'inauguration suivante, il cherche à se renseigner et s'informe auprès de tous les participants qu'il rencontre ; l'expérience est concluante, il se sent plus confiant, même face à de parfaits inconnus.

◀ **Reprendre un hobby**
Lancez-vous dans une activité de loisir ou relaxez-vous pendant quelque temps et voyez des amis. Prenez du recul par rapport à l'activité qui vous tient à cœur, vous y reviendrez en meilleure forme.

Être
son Propre Coach

Pour bâtir une certaine confiance, vous devez apprendre à être votre propre coach. Passez en revue vos progrès et vos objectifs, soyez critique – mais constructif – envers vous-même, célébrez vos succès et évaluez vos plans à long terme pour identifier les domaines qui doivent être améliorés dans le futur.

POINT CLÉ

● Soyez plus objectif dans l'analyse de vos progrès : imaginez comment votre meilleur ami évaluerait votre parcours.

Être
son propre coach

Reconsidérez régulièrement vos objectifs pour contrôler leur validité et vérifier qu'ils sont réalistes.

⬇

Considérez les progrès accomplis et n'oubliez pas de vous en récompenser.

⬇

En cas de revers, essayez de voir comment tirer parti de cet échec.

⬇

Veillez à progresser comme prévu pour réaliser vos objectifs à long terme.

⬇

Faites une liste des actions nécessaires pour atteindre votre objectif.

OBSERVER SA PROGRESSION

Restez motivé en faisant le bilan de votre progression toutes les semaines ou tous les mois. Avez-vous atteint l'objectif que vous vous étiez fixé ? Vos objectifs à long terme sont-ils encore clairs pour vous ? Si vous n'avez pas atteint l'objectif dans le temps que vous vous étiez fixé, essayez d'en comprendre les raisons : est-ce un manque d'organisation, par exemple ? Peut-être avez-vous besoin d'un plus grand soutien de la part de votre famille ou de vos amis ? Vérifiez que vos objectifs à long terme sont encore réalistes et qu'ils reflètent vos priorités et vos valeurs personnelles. Enfin, l'image que vous donnez de vous est-elle plus assurée, et y a-t-il des domaines à améliorer encore ?

Ménager un temps de réflexion ▶
Au cours d'un processus d'acquisition de confiance en soi, il est important de se ménager du temps pour réfléchir tranquillement aux événements écoulés et pour se recentrer et rester motivé.

ÊTRE CONSTRUCTIF

Pour progresser, il faut pouvoir identifier ce qui fonctionne bien et l'appliquer le plus souvent possible. Si, par exemple, votre objectif est de prendre la parole sans stress au cours de réunions et si vous avez déjà fait à une ou deux reprises des remarques bien accueillies, essayez de comprendre les raisons de ce succès : peut-être étiez-vous bien préparé pour la réunion et sûr de vos arguments ? Tirez les leçons de cet événement et continuez à préparer vos interventions de cette manière. Réfléchissez aussi à tout ce qui pourrait vous aider à vous exprimer en toute confiance. Évitez les critiques négatives qui sont démotivantes et recherchez les moyens positifs de changer et de développer votre comportement.

Reconnaissez d'abord vos succès.

Notez ce qui doit encore être amélioré.

Juin 26

Le dîner de Julie

Ce qui s'est bien passé	Ce qui pourrait être amélioré
Je m'y suis étonnamment bien senti. Me suis bien entendu avec Sarah, qui était assise près de moi. Ai posé beaucoup de questions et ai trouvé de nombreux points communs avec elle. Avons convenu de voir une expo ensemble bientôt. Ai participé à la conversation générale et donné souvent mon opinion – sans jamais bégayer ou buter sur les mots.	Charles, un des invités, m'a beaucoup intimidé, je l'imaginais critiquant le moindre de mes mots. La prochaine fois je me concentrerai sur ce que j'ai à dire et non sur ce que les autres pensent de moi et je m'efforcerai de mettre les autres à l'aise. Je dois encore travailler ma gestuelle – j'ai trop tendance à croiser les bras.

▲ **Suivre un schéma de critique constructif**

Après un événement difficile à vivre, prenez le temps de l'évaluer. Notez tout de suite après et le plus sincèrement possible les sentiments que vous avez éprouvés à ce moment-là ; en relisant ces notes ultérieurement, vous vous rappellerez très nettement ce que vous avez ressenti et verrez plus clairement les progrès accomplis.

Exercices utiles

▶ Estimez le temps de réflexion indispensable à l'évaluation des progrès – un minimum de quatre à six heures mensuelles sont nécessaires pour un travail de fond. Libérez ce temps en supprimant de votre agenda, pour les deux ou trois mois à venir, une activité moins importante à vos yeux.

▶ Notez la date de votre prochain bilan, bloquez quelques heures et faites en sorte de ne pas manquer ce rendez-vous !

▶ Regroupez tous les documents qui vous seront utiles au cours de ces séances : livres ou cassettes.

En bref

● Faites régulièrement le bilan de vos progrès pour rester motivé et concentré sur vos objectifs.

● La critique positive est encourageante, la critique négative vous découragera.

● Consignez par écrit vos activités liées à la quête de confiance, cela aide à clarifier les idées et peut être une source d'inspiration pour plus tard.

FÊTER SES SUCCÈS

Nous sommes toujours heureux de recevoir une récompense quand elle vient couronner un travail bien fait ou un succès. Se donner, moralement, une petite tape de félicitation et se congratuler d'avoir réussi sont des encouragements essentiels qui aident à rester motivé. Pour que le système de récompense fonctionne bien, vous devez choisir un cadeau qui vous fait vraiment plaisir ; petit ou grand, cher ou bon marché, si ce n'est pas quelque chose que vous vouliez, ce n'est pas une récompense ! Peut-être rêvez-vous de prendre le temps de lire tranquillement un bon livre ou préférez-vous ouvrir une bonne bouteille de vin ? Le cadeau que vous choisirez de vous offrir doit être en rapport avec le travail que vous avez fourni. N'oubliez pas enfin, que si vous vous êtes promis une récompense, il faut vous la donner !

POINT CLÉ

● N'hésitez pas à claironner vos succès mais gardez vos échecs pour vous et vos plus proches amis.

Se faire plaisir ▶

Savoir qu'une récompense vous attend si vous atteignez un objectif important renforcera votre motivation. Pourquoi ne pas se faire plaisir de temps en temps en choisissant quelque chose de réellement peu ordinaire ou de carrément téméraire ?

À faire

✓ Planifiez vos récompenses à l'avance, de manière à prévoir le budget nécessaire.

✓ Choisissez des cadeaux qui reflètent la difficulté que vous avez surmontée – vous serez d'autant plus ravi de votre cadeau que vous l'aurez mérité.

✓ Motivez-vous en plaçant bien en évidence des indices du cadeau que vous prévoyez de vous faire.

À ne pas faire

✗ Ne vous refusez pas le cadeau promis sous prétexte que vous êtes trop occupé et avez autre chose à faire.

✗ Ne minimisez pas vos réalisations, chaque petit pas est un succès à part entière.

✗ Ne laissez personne vous culpabiliser parce que vous prenez le temps de vous faire plaisir.

ÊTRE RÉCEPTIF AUX AUTRES

Être plus confiant vous rend plus réceptif aux autres : si vous décelez un manque de confiance chez quelqu'un, n'hésitez pas à le soutenir, à l'écouter, à l'encourager, à le critiquer de manière constructive et à lui faire des compliments sincères. Être confiant vous permettra aussi de l'accompagner et de le soutenir dans sa propre démarche de recherche d'assurance : en aidant les autres à se sentir mieux, vous vous sentirez bien en retour.

Exprimer sa sympathie
Si quelqu'un de votre entourage a vu sa confiance mise à mal, envoyez-lui des fleurs pour lui remonter le moral.

VOIR À LONG TERME

Fixez-vous une date précise – pendant les vacances, en début d'année ou le jour de votre anniversaire – pour faire un bilan annuel : réfléchissez à tous les aspects de votre vie et prenez de nouvelles résolutions si vous sentez que vous manquez encore de confiance dans certains domaines. Prenez acte des progrès accomplis et donnez-vous d'autres défis à relever au cours de l'année à venir. N'oubliez jamais que la confiance en soi se renforce quand vous prenez le contrôle de votre vie et qu'elle se perd si vous vous contentez d'en être le simple spectateur.

Faites une liste des réalisations de l'année écoulée.

Notes

	Réalisations	Objectifs
Plan personnel	J'ai arrêté de fumer et me sens bien mieux	Faire en sorte de ne pas me remettre à fumer
Plan professionnel	J'ai reçu une évaluation positive et atteint tous mes objectifs	Poser ma candidature pour tout poste supérieur au mien qui se présenterait
Vie sociale	Je me suis fait de nouveaux amis à travers mon club de lecture	Revoir mes anciens camarades d'université, David et Karen
Relations	J'ai enfin eu le courage de mettre un terme à une relation peu satisfaisante	Profiter de mon statut de célibataire pendant un moment
Santé et mise en forme	J'ai commencé à faire de la gymnastique	Acheter une bicyclette pour aller à mon travail à vélo.

Fixez-vous des objectifs pour l'année à venir.

▲ Faire un bilan annuel

Faites une liste en deux colonnes, l'une pour vos réalisations et l'autre pour vos objectifs. Commencez par remplir la première puis passez à la seconde.

POINT CLÉ

● Ne prenez pas plus de six résolutions pour l'année à venir, vous risquez de vous sentir submergé.

Évaluer
son Degré de Confiance

É*valuez vos niveaux de confiance en répondant au questionnaire ci-dessous. Soyez aussi honnête que possible : si votre réponse est « Jamais », cochez l'option 1 ; « Toujours », cochez l'option 4, etc. Faites le total de vos points et reportez-vous à l'analyse pour connaître votre degré de confiance en vous.*

Options

1 Jamais
2 Parfois
3 Souvent
4 Toujours

Que répondez-vous ?

1 J'aime parler à des inconnus.

2 J'adore entreprendre de nouvelles activités.

3 J'ai des objectifs clairs dans ma vie.

4 Je suis assez satisfait de passer du temps seul.

5 Je peux supporter l'incertitude.

6 Je me sens confiant quand je parle avec des gens de renom.

7 Je sais que j'ai l'air soigné et élégant.

8 Ma gestuelle exprime ma confiance.

9 Je soutiens le regard des gens.

10 Ma voix semble toujours confiante.

11 Si je suis angoissé, je sais toujours pourquoi.

12 Je contrôle mon manque d'assurance.

13 Les erreurs que j'ai faites me servent de leçon.

14 Je me débrouille bien dans des circonstances sociales.

15 Je ne crains pas les entretiens d'embauche.

16 Je sais contrôler les expressions de mon visage.

17 Je connais mes forces et mes faiblesses.

18 J'ai une idée claire de mes priorités dans la vie.

	1	2	3	4
19 Je sais réfléchir quand je suis sous pression.	☐	☐	☐	☐
20 Je sais demander de l'aide quand je suis sous pression.	☐	☐	☐	☐
21 J'aime exprimer mes points de vue devant les autres.	☐	☐	☐	☐
22 Parler en public me plaît beaucoup.	☐	☐	☐	☐
23 J'aime entreprendre de nouveaux projets.	☐	☐	☐	☐
24 Je sais concentrer toute mon attention sur les autres.	☐	☐	☐	☐
25 Je sais m'exprimer dans n'importe quelle situation.	☐	☐	☐	☐

	1	2	3	4
26 J'aime entrer dans une pièce pleine d'inconnus.	☐	☐	☐	☐
27 Je sais prendre l'initiative et forger des relations.	☐	☐	☐	☐
28 Je n'ai aucun scrupule à négocier une augmentation de salaire.	☐	☐	☐	☐
29 Je me sens concentré quand je suis sous pression.	☐	☐	☐	☐
30 Je gère bien le fait d'être le point de mire.	☐	☐	☐	☐
31 Si je me sens angoissé, cela ne dure pas longtemps.	☐	☐	☐	☐
32 Je sens que je peux donner confiance aux autres.	☐	☐	☐	☐

Analyse

Faites le total de vos points et évaluez votre degré de confiance en vous reportant à l'analyse ci dessous. Notez vos points les plus forts et les plus faibles : les aspects les plus faibles devront être renforcés si vous voulez progresser.

32 à 64 Votre manque de confiance vous etient d'agir dans de nombreux domaines de votre vie. Travaillez votre confiance pour acquérir plus d'assurance.

65 à 95 Votre estime personnelle est élevée, mais des stratégies de développement de confiance vous aideront à gérer plus efficacement certains domaines.

96 à 128 Votre approche ouverte montre que vous êtes à l'aise dans la plupart des situations, mais il est important que vous évitiez l'autosatisfaction.

Mes points les plus faibles sont :

_____

_____

_____

_____

Mes points les plus forts sont :

_____

_____

_____

Index

TITRES DISPONIBLES

Améliorer sa mémoire

Gérer la pression

Être positif

Philippa Davies a un master de psychologie et possède sa propre entreprise. Elle est spécialisée en communication et influence les techniques de nombreuses personnalités éminentes, dont deux premiers ministres. Philippa écrit et présente le programme de la BBC Tomorrow the world, sur la confiance en soi. Elle est aussi l'auteur de plusieurs ouvrages, utilisés dans les journaux et les magazines, enfin elle participe à des conférences sur les techniques de présentation et sur la confiance.

CRÉDITS PHOTOGRAPHIQUES
Code : *h* = haut ; *b* = bas ; *c* = centre ; *g* = gauche ; *d* = droit

Corbis: 6*bd*; JFPI Studios, Inc. 28*bg*; Ariel Skelley 33*bd*; Steve Prezant 44*bd*; Jose Luis Pelaez, Inc. 62*cg*; **corbisstockmarket:** Rob Lewine 30*cg*; **Digital Vision Ltd:** 37*cd*, 41*hd*; **Getty Images:** 4, Ryan McVay 56*bd*; **Image 100 Ltd:** 23*cd*; **PhotoDisc:** 9*cg*, 50*bl*, 59*cd*, 63*bg*, 66*cd*; **Rim Light:** PhotoLink 48*bd*; **The Stock Market:** Ronnie Kaufman 11*bg*.

Autres images © Dorling Kindersley